Prof.dr. Rudy K. Moenaert, geboren en getogen West-Vlaming, is hoogleraar strategische marketing aan Tias Business School (Universiteit van Tilburg) en parttime hoogleraar strategische marketing aan Universiteit Nyenrode. Zijn werkterrein situeert zich in de *'business of fun'*: op basis van wetenschappelijk onderzoek en concrete samenwerking met het bedrijfsleven gedegen inzichten verwerven in strategische en industriële marketing, en innovatiemanagement. Hij is een veelgevraagd docent aan executive managementopleidingen in binnen- en buitenland. Publicaties van zijn hand zijn verschenen in onder meer *Management Science, The Journal of Product Innovation Management, R&D Management, The Journal of Management Studies, The European Journal of Marketing* en *IEEE Transactions on Engineering Management*. Rudy Moenaert is getrouwd met Caroll Trybou. Samen hebben ze één dochter, die evenveel lawaai maakt als haar pa! Rudy Moenaert houdt van de 'geneugten des levens'. Hij drinkt bij voorkeur Belgisch bier, maar goede wijn en lekker eten mogen uit velerlei windstreken komen. Behalve van diverse sporten is hij een fervent liefhebber van motoren.

Prof.dr. Henry Robben is geboren in Winnipeg, Canada, en getogen in het zuidelijke deel van Nederland. Hij is hoogleraar marketing aan Universiteit Nyenrode en directeur van het Center for Supply Chain Management aldaar. Met veel plezier stort hij zich op zijn onderwijs en onderzoek op het gebied van marketingcommunicatie, productontwikkeling en strategische marketing. Zijn adagium is dat werk vooral geen werk mag worden! Hij treedt regelmatig op als gasthoogleraar in het buitenland binnen degree- en nondegreeprogramma's en als adviseur. Zijn werk verscheen in media als het *Journal of Economic Behavior and Organization*, het *International Journal of Research in Marketing*, het *Journal of Product Innovation Management* en het *Journal of the Royal Statistical Society*. Als Nederlander leerde hij de geneugten van het leven wat later kennen dan zijn medeauteur. Samen met Els Swerts heeft hij drie zoons, Martijn, Loek en Chiel, die nationaal en internationaal te boek staan als de Drie Musketiers. Naast zijn gezin zijn zijn passies literatuur, reizen en Oranje, het Nederlandse voetbalelftal.

RUDY MOENAERT EN HENRY ROBBEN

Visionaire marketing

Hoe marketing en business roadmapping
het concurrentievermogen van uw bedrijf
ten goede komen

lannoo
scriptum management

www.lannoo.com

Tweede druk
Omslagontwerp Studio Lannoo
© Uitgeverij Lannoo nv, Tielt, 2003
D/2003/45/418 – ISBN 90 209 5157 2 (1ste bijdruk) – NUR 801
Gedrukt en gebonden bij Drukkerij Lannoo nv, Tielt

Inhoud

Voorwoord

'Het leven is te kort om lange boeken te lezen.'
Mick Jagger

In mijn jaren bij de Europese Commissie heb ik geleerd dat echte concurrentie meer is dan het aanbieden van de laagste prijs. Rudy Moenaert en Henry Robben geven hun antwoord op de vraag hoe dan wèl te concurreren.

Het boek geeft een *analysekader* en een *pragmatische aanpak* om visionaire marketing vorm te geven binnen uw organisatie. Daartoe belichten de auteurs eerst het begrip *concurrentievoordeel* en de wijze waarop de strategische en de marketingliteratuur dit begrip traditioneel benaderen. Op basis van een literatuurstudie, eigen onderzoek en ervaringen stellen de auteurs een alternatief model voor. In dit model benaderen zij de problematiek van het marktgericht ondernemen vanuit een marketingperspectief waar-in de klant centraal staat. Als marketeers zijn zij dat zichzelf ver-plicht! Maar zij verliezen daarbij niet de wetten van de markt uit het oog. Zij betrekken expliciet het concurrentieperspectief in hun model. Vervolgens bespreken zij het proces van waarde-creatie en de wijze waarop dit bijdraagt tot een duurzaam con-currentievoordeel van de organisatie. Tot slot belichten zij het dynamische karakter van dit concurrentievoordeel en de wijze waarop de onderneming het continue veranderingsproces gestal-te kan geven.

Dat een concurrentievoordeel niet automatisch duurzaam hoeft te zijn, bewezen Les Bleus, het Franse voetbalelftal, tijdens

de wereldkampioenschappen in Japan en Korea in 2002. De rege-
rende Europese en wereldkampioen haalde de tweede ronde niet
eens! Men vertrouwde op de 'oude' middelen, maar het veroude-
rende team zonder echte leider verzuimde meer dan eens te scoren. Zie dan Ronaldo: eind 2002 werd hij voor de derde keer
wereldvoetballer van het jaar. Maar ook in het bedrijfsleven geldt
dat principe: van de *Business Week* top-50 best presterende bedrijven in 2001 waren er slechts 17 die nog in 2002 in die lijst stonden.
Een goede prestatie in één jaar mag er niet toe leiden dat je je rijk
rekent.

De auteurs benaderen het terrein, in casu het beoefenen van
de wetenschap en het vertalen van hun onderzoek en ervaringen,
cumulatief. In plaats van het creëren van een nieuw referentiekader kiezen zij expliciet voor het gebruiken, reflecteren en valide-
ren van bestaande referentiekaders, die zij waar nodig aanpassen.
Een recente studie wees uit dat sinds het verschijnen in 1973 van
Henry Mintzbergs *The Nature of Managerial Work* geen echt
nieuwe ideeën op het gebied van management zijn ontstaan.
Anders gesteld: de auteurs wensten het kind niet met het badwa-
ter weg te gooien. Dit boek vat op een *pragmatische* wijze een
belangrijk deel samen van de 'gouwe ouwen' uit de management-
literatuur. En om Isaac Newton aan te halen: staan we niet allemaal op de schouders van reuzen?

Deze aanpak impliceert dat zij een aantal centrale begrippen
en referentiekaders uit de strategische en de marketingliteratuur
kritisch onder de loep nemen. Door dit boek heen hebben zij ook
hun eigen onderzoek verwerkt. Om met Collins en Porras te
spreken: hun benadering is research-based en idea-driven. Beide
auteurs beschouwen zich als positivistisch ingestelde wetenschappers met als adagium dat wetenschapsbeoefening geen vrijblij-
vende denkoefening is. Daarom hebben zij hun denken aan data
getoetst, want praatjes vullen immers geen gaatjes. In het boek
vindt u geen wetenschappelijke verhandelingen, maar pragmati-

sche analyses en voorstellen voor u, als manager. En dat op een heldere, toegankelijke wijze, *ter lering ende vermaeck*, zogezegd. Ik ken beide auteurs persoonlijk, en ik kan u melden, dat zij opereren in 'the business of fun'. En dat spreekt uit hun benadering van het bronnenmateriaal en uit het plezier dat uit dit boek blijkt.

De wetenschappelijke instelling van de auteurs impliceert op geen enkele wijze enige wereldvreemdheid. Zij brengen een eenvoudige en pragmatische benadering van het begrip visionaire marketing. Het is niet toevallig dat recent zowel Edward De Bono als Jack Trout een pleidooi heeft gehouden voor eenvoud. Ondanks alle analyses en theoretische modellen vergeten wetenschappers nogal eens dat succesvol management en succesvolle marketing meestal neerkomen op gesystematiseerd gezond boerenverstand. Dit sluit geenszins uit dat aan de inzichten grondig, gedegen en state-of-the-art wetenschappelijk onderzoek voorafgaat. Integendeel! Maar we mogen niet vergeten dat studenten en managers altijd behoefte hebben aan zaken waarmee ook zij aan de slag kunnen. En alles goed en wel beschouwd: zij zijn de eindklanten.

'Management is een merkwaardig fenomeen. Het wordt rijkelijk betaald, is enorm invloedrijk, en is in belangrijke mate verstoken van gezond verstand,' merkte Mintzberg ooit op. Rudy Moenaert en Henry Robben stellen daarom een aanpak voor waarbij zij de term strategisch *management* vervangen door strategisch *denken*. Strategisch management is te passief. Strategisch denken bevat namelijk actieve componenten: begrip krijgen van het concurrentievermogen van de onderneming, onderbouwde keuzes maken en middelen toewijzen aan deze keuzes. Strategisch management is wat je doet wanneer je met studenten een case analyseert. Strategisch denken is hopelijk wat u doet wanneer u met collega's een traject voor uw organisatie uitzet. Vernieuwing en de zorg voor vernieuwing zijn hierbij constante thema's. En dat zonder de concurrentiekracht van de onderneming uit te hollen. Komt het tenslotte niet allemaal neer op het volgende: 'De kern van strategie bestaat erin de concurrentievoordelen van morgen vlugger te creëren dan dat de concurrenten uw huidige concurrentievoordelen kunnen nabootsen' (Hamel en Prahalad).

De in dit boek voorgestelde en naar mijn mening unieke *roadmapping-methode* stelt u in staat om nu te concurreren en tegelijkertijd te bouwen aan de toekomst. En dat is het wezenlijke van het begrip visionaire marketing. Het is in ieder geval geruststellend te weten dat ondernemingen deze methode kunnen leren en aanwenden. Ik beveel dit boek van harte aan aan iedereen die de essentie van succesrijk concurreren wil begrijpen en leren toepassen. De uitspraak van Mick Jagger aan het begin van dit voorwoord geeft goed aan waar het in het bedrijfsleven om gaat: je moet keuzes maken. Bij het maken van keuzes hebben we allemaal geregeld hulp nodig. Dit boek van Rudy Moenaert en Henry Robben is zo'n hulp. En het is niet te dik, precies geschikt voor de manager die haar of zijn tijd goed moet verdelen. Daarbij gaat het boek over echte concurrentie, waarmee u autonome groei van uw onderneming kunt creëren. De auteurs hebben geen standaardwerk geschreven, maar ik hoop dat het een standaardwerk wordt.

KAREL VAN MIERT
President Universiteit Nyenrode
Voormalig vice-voorzitter van de Commissie van de Europese
Gemeenschappen belast met Concurrentiebeleid

Dankwoord

Een boek schrijven heeft veel weg van een expeditie. Zo'n reis onderneem je zelden alleen. We prijzen ons gelukkig de afgelopen jaren te hebben kunnen samenwerken met een diverse groep uitstekende academici en onderzoekers. Zonder de geanimeerde discussies en de vele onderzoeksstudies zou dit boek niet geschreven zijn. Heel in het bijzonder gaat onze dank uit naar Annouk Lievens (Universiteit Antwerpen), Christophe van den Bulte (Wharton), Filip Caeldries (Tias Business School), Harry Commandeur (Erasmus Universiteit Rotterdam en Universiteit Nyenrode), Veroniek Deschamphelaere, Steve Muylle en Niels Schillewaert (Vlerick School voor Management), Steven van Belleghem (InSites), Marion Debruyne (Emory University), Erik Jan Hultink en Jan Schoormans (TU Delft), Peter van Overstraeten (London Business School), Mieke van Oostende (McKinsey) en Morton Lindh (Stockholm School of Economics). Een speciaal woord van dank gaat naar Ariane Sondak voor de uitstekende ondersteuning bij de afwerking van dit boek; Francis Dejonghe (De Witte Lietaer) en Wido Jansen voor de vele inspirerende gesprekken; Bart Vandevyvere (Kone Belgium) om ons van een centraal vergaderpunt te voorzien; en William Dahmer (HypoVereinsbank) om ons telkenmale attent te maken op interessante internationale business cases.

Veeleisende klanten zijn een zegen voor onderzoekers in de bedrijfswetenschappen. We hebben de afgelopen jaren niet te klagen gehad! Een speciaal woord van dank gaat uit naar Hans Herpoel, Clement De Meersman en Palmer Doubel (Deceuninck

Plastics), Marleen Boleyn, Patrick Rogiers en Bill Perkins (3M België), Stan Hendriks, Corné Dekkers en Hong Liem (Buena Vista Home Entertainment Benelux BV), Mikael Blomqvist (NovaVentures), Joost Krul (MarketQuest International), Jan ten Bosch (Stichting Techniek en Marketing), en Hans Hagenaars, Lisette van Breugel, Hans van der Noordaa, Arjan Toor en Dick de Kruijck (Postbank).

Lieven Sercu en zijn team van Lannoo Uitgeverij hebben ons uitermate professioneel met raad en daad bijgestaan. Ieder zijn vak, zouden we zeggen. Bij Lannoo beheersen ze hun vak terdege!

Aan onze gezinnen willen we zeggen: bedankt voor jullie genereuze geduld bij ons schrijfproces. We zijn niet altijd de beste gesprekspartners geweest in de afgelopen maanden. Dit is nu voorbij. Tenminste, tot er een nieuw boek in onze persoonlijke roadmap opdaagt...

RUDY K. MOENAERT
HENRY S.J. ROBBEN

BizzWell

De businessroadmappingmethodologie is ontwikkeld door Rudy Moenaert en Henry Robben, in voortdurende samenwerking met het bedrijfsleven. Zoveel is zeker: de methode is uitzonderlijk effectief om een superieure bedrijfsstrategie te ontwikkelen, en een op gemaakte, unieke oplossing te genereren voor uw eigen onderneming!

Ondersteunende software voor deze business roadmapping kunt u binnenhalen via www.bizzwell.com:

- Een *freeware-versie*, waarmee u efficiënt en uitermate effectief het huidige businessmodel kunt beschrijven, kunt u gratis binnenhalen via deze site;
- Voor de consultant, marketeer of bedrijfsplanner is er een herhaaldelijk beproefde *professionele versie* die u in staat stelt het huidige businessmodel te ontwikkelen, strategische projecten te identificeren, het toekomstige businessmodel te bepalen en de project-roadmap in kaart te brengen. Dit instrument is uitermate effectief om met uw managementteam, uw medewerkers of uw klanten gezamenlijk het toekomstbeeld te optimaliseren.

Gesystematiseerd gezond boerenverstand creëert enthousiasme en slagkracht!

Beelden zeggen meer dan woorden. Een *CD met een videofilm van een businessroadmappingsessie* kan besteld worden via www.bizzwell.com. Wees gewaarschuwd: u zult overtuigd zijn van de kracht van deze methode!

Via www.bizzwell.com kunt u ook gratis een *template* van een strategisch marketingplan binnenhalen. Deze template is in PowerPoint® opgemaakt. In de notitiesectie van de PowerPoint®-slides vindt u suggesties om uw strategische marketing een vernieuwde inhoud te geven. Deze template hebben we bij veel industriële en consumentenondernemingen met succes toegepast.

Een kruispunt

Business roadmapping bevindt zich op het kruispunt van marketing en strategie, van formulering en implementatie. Ieder van deze elementen is noodzakelijk om het concurrentievermogen van uw onderneming te optimaliseren.

HOOFDSTUK 1

Waar wegen samenkomen

Roadmapping als synthese van marketing en strategie

'Ze hebben al deze duurbetaalde advocaten,
en ze hebben niet eens een plan.'

George Hickox, CEO van Wiser Oil Co.,

en een van de vele schuldeisers van Enron

De introductie van de Porsche Cayenne, een uitzonderlijk Sports Utility Vehicle (SUV) – eigenlijk een monsterachtig mooie en snelle lifestyle-combi – was bij voorbaat een enorm succes. Voordat ook maar één klant de Cayenne had gezien, laat staat er een proefrit in had gemaakt, had Porsche naar verluidt al 25.000 exemplaren verkocht. En dat voor een auto met een prijskaartje tussen de € 85.000 en € 142.000. De Cayenne is niet eens de eerste SUV op de markt, en is ontworpen door een fabrikant van wie men een dergelijke auto niet verwacht.

Porsche heeft zijn huiswerk goed gedaan. Onder 'huiswerk' verstaan we: door het ontwerpen (*formulering*) van een waardevol aanbod voor de klanten (*marketing*), en dit op de juiste wijze te realiseren (*implementatie*), wordt er ook economische waarde gecreëerd voor Porsche (*strategie*).

Een kruispunt in het strategische landschap

Onze doelstelling is niet min: u en uw organisatie de instrumenten aanreiken voor het plannen en het realiseren van de route van uw toekomst.

Dit boek bevindt zich op het belangrijke kruispunt van strategie (waarde voor de aandeelhouder) én marketing (waarde voor de klant), formulering (hoe maken we keuzes) én implementatie (hoe brengen we de gemaakte keuzes in de realiteit ten uitvoering).

Laten we in de eerste plaats eens bondig de strekking van een aantal strategieën uitleggen. De *ondernemingsstrategie* bepaalt in welke industriesectoren of markten de onderneming zal concurreren. De belangrijkste vraag die hier beantwoord wordt is: *waar* wilt u concurreren? De *bedrijfsstrategie* handelt over *hoe* een bedrijf in die segmenten zal concurreren. Ten slotte vertalen *functionele strategieën* deze inzichten in verschillende functies of processen van de organisatie.

Vanuit marketingoogpunt is de bedrijfseenheid, en dus de bedrijfsstrategie, het primaire niveau van analyse – klanten kiezen immers tussen merken, en niet tussen ondernemingen. Dit niveau vormt het centrale analyseniveau in dit boek.

Een van de auteurs koos onlangs Baldessarini van Hugo Boss als zijn nieuwe favoriete eau de toilette, dit was eerst BE van Calvin Klein. Dat is een keuze voor een merk. Hoeveel mensen realiseren zich dat dit een keuze was tussen de twee giganten Procter & Gamble en Unilever? Overigens, hoe belangrijk is dit verschil?

Gegeven de huidige *tijdgeest*, waarin organisaties en CEO's elkaar proberen te overtreffen op gebieden als klantenzorg en andere chique woorden, is het niet verrassend iemand te horen uitroepen: 'Ja! We zijn marktgeoriënteerd!' Veel managers zullen niet aarzelen dit te bevestigen. Het probleem is alleen: zijn hun organisaties écht marktgeoriënteerd? *Do they walk the talk?* En een andere vraag rijst: is het echt nodig marktgeoriënteerd te zijn om succesvol te zijn? Uw bedrijf bestaat per slot van rekening al meer dan honderd jaar – of wat de dotcommers onder ons betreft meer dan drie jaar. Wij zullen proberen duidelijk te maken dat marktoriëntatie juist van strategische invloed is op het succes van een organisatie.

De Toyota Motor Company uit Japan geniet op dit moment een marktkapitalisatie die hoger is dan de gezamenlijke marktkapitalisatie van de drie grootste autoproducenten in Amerika: General Motors, Chrysler en Ford. Hoe zou dat komen? We vermoeden dat Toyota heel goed heeft begrepen wat marktoriëntatie echt inhoudt. Het gaat erom het bedrijf (en zijn belanghebbenden) te plezieren door de klant te plezieren met auto's zonder gezeur en een goede dienstverlening. Soortgelijke successen zijn behaald door Lexus – niet verrassend! Zij weten wat hun klanten nodig hebben en willen, en leveren dit op een efficiënte manier. Klanten hebben de neiging om juist dit op prijs te stellen.

Een andere icoon in de autowereld ontdekte de nadelen van een minder duidelijke marktoriëntatie. De nieuwe DaimlerChrysler-organisatie had waarschijnlijk zoveel tijd nodig om haar interne zaken op orde te brengen, dat de productie en de dienstverlening minder aandacht kregen dan ze nodig hadden. Hun merk Mercedes kreeg zoveel klachten over defecten dat het terugviel tot onder een andere autofabrikant, Opel, die niet echt bekendstaat om zijn kwaliteit. De klant vergeten loont zelden. Al helemaal niet in industrieën waar herhalingsaankopen van grote invloed zijn voor het continueren van succes op de markt. Ondanks alles stevende Opel in 2002 af op een eerste plaats op de Nederlandse markt voor het vierendertigste achtereenvolgende jaar. Dat is wat we noemen 'succes'.

Marktoriëntatie staat niet gelijk aan het tevredenstellen van uw favoriete belanghebbende van de organisatie. Hoewel zo'n focus misschien lijkt op de ultieme keuze in een marketingstrategie, vormt het een strategie met een hoog risico. Enron, de Amerikaanse energiemakelaar, kwam er door schade en schande achter dat het focussen op een specifieke partij (aandeelhouders en analisten) hen simpele zakenregels en marketingregels deed vergeten.

Een marktoriëntatie weerhoudt u er niet van om u op verschillende partijen op hetzelfde moment te richten. Kijk naar Nokia. Het komt erop neer dat ze een mobiele telefoon voor u hebben, of het nu voor zakelijk of voor privé-gebruik is, of u nu een techniekfreak bent of een aanhanger van functionele en eenvoudige technologie. De meeste klanten in de meeste markten over de hele wereld hoeven niet verder te kijken. Nokia's marktaandelen spreken duidelijke taal, en luid ook.

Klantgericht, niet klantgezwicht

Laten we eens kijken wat marktoriëntatie nou inhoudt. De American Marketing Association definieert marketing als 'het proces van planning en uitvoering van het ontwikkelen, prijzen, promoten en distribueren van goederen, diensten en ideeën voor het creëren van transacties met doelgroepen die de doelstellingen van de klant en van de organisatie bevredigen'.

Dat is een mondvol.

Dus marktoriëntatie gaat over het geven aan de klanten wat zij van waarde vinden, en op hetzelfde moment iets goeds doen voor de organisatie. Dat laatste is essentieel – u kunt immers uw klanten een mooie aanbieding doen en zelf failliet gaan. Als u een willekeurige klant vraagt wat hij of zij wil, is de kans groot dat deze antwoordt: beter, sneller, goedkoper.

Klanten hebben echter niets aan bedrijven die zaken met hen doen en vervolgens failliet gaan. Wie zal er dan de dienstverlening gaan vervullen en advies geven? Het zoeken naar nieuwe aanbieders creëert zoekkosten en verhoogt de ergernis. En laten we meteen maar een mythe aan de orde stellen. Veelal denken we dat het bedienen van loyale klanten winstgevender is dan het bedienen van niet- of minder loyale klanten. In de realiteit kan dit flink tegenvallen[1]. Sommige zogenaamde loyale klanten vragen meer aandacht dan we zouden willen; zij eisen meer service, en vertellen niet aan vrienden en relaties hoe tevreden men is.

Dit verklaart misschien voor een deel waarom sterke spelers als Air France, British Airways en Lufthansa druk in de weer zijn met het uitbreiden van hun partnerships. Consolideren op de erg concurrerende markt van de luchtvaart is misschien wel het noodzakelijke ticket om in de toekomst te concurreren. Merkt de passagier iets van deze noodzaak, of hebben ze direct baat bij de totstandkoming van deze luchtvaartpartnerships? Waarschijnlijk niet. Maar het maakt duidelijk dat om de klant in de toekomst van dienst te kunnen zijn, het misschien verstandig is om u eveneens te concentreren op externe, concurrerende krachten in plaats van op de klant.

Hoe benaderen bedrijven de klant? Gewoonlijk doen ze dit door wat de 'vier P's' wordt genoemd, een set mysterieus samenhangende beslissingen die bedrijven nemen. Er is enige discussie of we het moeten hebben over vier, zeven, elf of zelfs nog meer P's. In 1960 benoemde McCarthy er 44 in zijn boek, dus om een paar P's meer of minder hoeven we ons niet druk te maken[2]. De legendarische vier P's zijn: product, prijs, promotie en plaats.

Maar de vier P's staan voor een manier waarop de organisatie naar de markt en de klanten kijkt. Aan de andere kant hebben klanten de neiging op een andere manier naar de activiteiten van het bedrijf te kijken. Dit wekt misschien wat ergernis bij marketingmanagers, maar het is de realiteit. Klanten denken niet in termen van de vier (of zeven, elf…) P's. Wat de klanten zien zijn niet een paar P's, maar een paar C's: *customer needs and wants, cost to the consumer, communication, en convience*[3].

Zacht uitgedrukt is dit een nogal ander perspectief. In feite stellen we vast dat in het meest centrale denkraam in marketing, de 4 P's, de klant niet centraal staat! Waarmee we niet gezegd hebben dat het traditionele organisatieperspectief geen waarde heeft. Hoogstwaarschijnlijk heeft het alleen geen waarde voor de klant. Hoe zinvol is het om, zoals de Nederlandse Spoorwegen, naar je klanten te communiceren dat je het slechts middelmatig doet? Een gemiddelde tevredenheidsscore van 6 à 7 op een tienpuntsschaal is niet echt voortreffelijk te noemen.

Een complicerende factor is dat een klant niet alleen te maken heeft met uw P's (of C's), maar ook met die van de concurrentie. Dus dit is een andere partij die aandacht dient te krijgen bij een marktoriëntatie – de concurrentie. Zoals het niet loont om u alleen te richten op wat de klanten willen, loont het ook niet om uw aandacht alleen te richten op de concurrentie. Kenichi Ohmae, een alumnus van McKinsey Tokio, merkte dit ooit op toen hij een

Japanse fabrikant van huishoudelijke apparatuur hielp die een koffiezetapparaat ontwikkelde. Zijn conclusie was dat wanneer u alleen kijkt naar wat de concurrentie aan het doen is, u zich alleen richt op wat zij denkt dat belangrijk is. En zij kan het wel eens fout hebben: van belang voor de klant bij koffie is waarschijnlijk meer de smaak van het spul dan een reductie van 30 procent van de zettijd. Dus: besteed uw waardevolle middelen niet aan iets beter willen doen dan de concurrentie wanneer klanten de waarde niet zien van deze zogenaamde verbetering.

Ons eigen werk identificeert nog een andere kijk op de activiteiten van de organisatie. Gegeven dat de klanten zichzelf in een drukke oceaan van aanbiedingen en communicaties zien – die van u en van de concurrentie – en dat ze uw P's niet begrijpen zoals bedoeld, dan denken we dat een beter alternatief voor al dit P-geweld simpelweg zou zijn de klant een reden te geven om uw aanbod te verkiezen boven dat van een concurrent. Deze reden noemen we een 'concurrentievoordeel'.

Een functionele strategie kan slechts nuttig zijn indien zij consistent is met de bedrijfsstrategie. Wat het marketingperspectief betreft, betekent dit dat de verbindingen met de andere units en processen in het bedrijf expliciet zijn inbegrepen. Laten we een stap verdergaan: daar in succesvolle ondernemingen waardecreatie voor de klant en waardecreatie voor de aandeelhouder een symbiose vormen, is een goede marketingstrategie in feite een bedrijfsstrategie.

Bent u ooit beter geworden van een marketingstrategie die opgesteld was in schitterende afzondering? Zonder een duidelijke vertaalslag naar onder meer finance, IT, productie en R&D blijven doelstellingen als 'topkwaliteit', 'betrouwbare service' en 'uitstekende reputatie' uitermate wollige woordenkramerij.

Ja, in onze optiek draait succesvol zakendoen geheel en al om concurrentievoordelen.

Net zo makkelijk als één, twee, drie.

Business roadmapping maakt uw visie mogelijk

Hoe kunt u komen tot marktgeoriënteerde processen in uw bedrijf, en hoe kunt u dit vertalen in superieure producten en diensten? We moeten eerst bedenken dat hoewel elke partij in de supply chain betrokken is bij marketing, niet alle marketing hetzelfde is. De algemene marketingprincipes zijn dezelfde – per slot van rekening is marketing gewoon *gesystematiseerd gezond verstand*. De creatie en uitvoering van industriële marketing, trade marketing, retail marketing en consumentenmarketing kan echter flink verschillen. Daarom denken we dat onze boodschap er een is die universeel toepasbaar is vanwege de algemeen geldende antecedenten, en omdat het vraagt – in plaats van het zwakkere 'toelaat' – om een op maat gemaakte benadering voor elk bedrijf en segment.

Hoe komt u waar u terecht wilt komen? Wij hebben onze onderzoeks- en advieservaringen bijeengebracht tot wat we de *business roadmapping-methode* willen noemen: met deze methode kunt u voor uw bedrijf een eigen én succesvolle toekomst creëren, niet alleen door te specificeren waar uw bedrijf staat (begrijpen) en heen wil (kiezen), maar ook door te specificeren hoe u er wilt komen (doen). Wij wijzen u er graag op – eigenlijk zijn we er trots op – dat we een zogenaamde *'new but proven method'* presenteren. Wat in de rest van het boek volgt hebben we vele malen toegepast in diverse bedrijven, Amerikaans en Europees, B2B en B2C, for profit en not-for-profit.

De sleutel naar dit alles is *uw ogen gericht te houden op de hoofdprijs*. Deze prijs kan het grootste marktaandeel zijn, een grote financiële bijdrage aan de organisatie, blije klanten, blije medewerkers – het is aan u dit te bepalen. Om de hoofdprijs te krijgen is het nodig dat u produceert wat klanten wensen te kopen en nodig hebben. Onthoud dat u een fabriek of gebouw vol professionals niet voor de lol bestuurt. Er is daarbuiten een markt waarop u uw bestaan iedere dag opnieuw moet rechtvaardigen. Klanten hebben de neiging te stemmen met hun voeten. Laat hun voeten zich uw kant op bewegen. Hier bewijst de metafoor van het kruispunt zijn waarde. Klanten staan altijd op een kruispunt van wat voor aard dan ook. Waarom stuurt u ze niet de kant op waar u werkt? Wees hun wegwijzer! En het is onze taak door middel van dit boek u daarbij te helpen. Wees klaar voor de reis!

De routebeschrijving

Wat kunt u in de rest van het boek verwachten? Welnu, in dit eerste hoofdstuk hebben wij het kruispunt van marketing en strategie geschetst. Nu volgen er nog vier delen. In het eerste deel, 'Begrijpen', geven we in acht hoofdstukken aan op welke wijze u de diverse omgevingen van uw organisatie leert kennen. Uiteraard gaan we daarbij in op uw concurrenten, uw organisatie, de bedrijfstak en uw klanten. Daarna hebben we het over uw marktsegmentatie en uw producten-, diensten- en merkenportefeuille. Dit eerste onderdeel besluiten we met ons idee over concurreren: alleen wanneer u zich onderscheidt, kunt u in uw markt concurreren. We hebben het hier over uw concurrentievoordelen. En die onderscheidt u visueel in een businessmodel.

Het tweede deel behandelt in zeven hoofdstukken het o zo belangrijke onderdeel van het 'Kiezen'. We bespreken de duurzaamheid van uw businessmodel, en behandelen dan het businessmodel dat uw toekomst garandeert. We doen dat door het bespreken van de vier mogelijke typen concurrentievoordelen: productdifferentiatie, klantenprocesdifferentiatie, prijsdifferentiatie en imagodifferentiatie. Ten slotte bespreken we met u het maken van keuzes voor uw langetermijnstrategie.

En dan gaat het over het 'Doen', de implementatie van uw strategie. We geven in vier hoofdstukken aan dat er een belangrijk verschil zit tussen strategisch denken en strategisch handelen. Het strategische handelen betreft onze project-roadmap, waarmee u uw strategische projecten definieert. De opvolging vindt vervolgens plaats in de marketing-scorecard.

Ten slotte kijken we in het laatste deel om naar de weg die we hebben afgelegd en de weg die we nog moeten gaan. Met plezier geven we dan nog enkele bronnen die ons inspireerden, en die u nog verder kunnen inspireren.

Wegwijzers

1. Marktoriëntatie betekent dat je de diverse belanghebbende partijen bij een organisatie tevredenstelt. Het gaat er dus niet om slechts één partij, de aandeelhouder, te plezieren.
2. U pleziert het bedrijf door de klant te plezieren.
3. Het is nodig de bedrijfsvoering af te stemmen op wat er buiten het bedrijf gebeurt.
4. Begrijpen, kiezen en doen vormen de essentie van marketingstrategie.
5. De weg naar de toekomst creëert u op basis van de roadmapping methode.

DEEL II

Begrijpen

Elke reis kent een start. Ook de bedrijfseconomische reis van uw onderneming. Een goed inzicht verwerven in de aard van uw bedrijfsactiviteiten, uw omgeving, uw klanten en uw concurrenten is een noodzakelijke voorwaarde om de toekomst te kunnen bepalen. Het slotakkoord hierbij is de bepaling van uw concurrentievoordelen (klantwaardepropositie) en het businessmodel dat uw onderneming in staat stelt onderscheidende waarde voor de klanten en de aandeelhouder te creëren.

HOOFDSTUK 2

Een slimme test van de rest

Marktintelligentie

'Verslagen worden is te vergeven, verrast worden nooit.'

Frederik de Grote

ommigen onder u hadden misschien de traditionelere titel 'Marketingonderzoek' – met of zonder daarvoor 'Een inleiding over' – boven dit hoofdstuk verwacht. We verkiezen de term 'intelligentie'. Het heeft iets scherps. Als zodanig is marktintelligentie een slimme test van de rest.

Elk marketingboek geeft in de inleidende hoofdstukken een standaardlijstje van eurorijke marktkansen of dollararme calamiteiten: globalisatie (Silicon Valley in India), product- en procesinnovaties (ook een chirurg kan nu thuiswerken), concentratie van leveranciers (Intel en Microsoft bepalen de agenda in computerland), toenemende macht van de ongebonden kiezende klant (in een klimaat van Enronitis gaan zelfs politici zich ethisch opstellen), een groeiende positie van ICT (het communicatiemedium wordt een marktplaats), overheidsinterventies (de promotie van de overheid ten gunste van generieke geneesmiddelen), milieugerelateerde aandachtspunten ('Prestige', wat een naam om olie te verspillen!).

We mogen aannemen dat de tijden daadwerkelijk veranderen. We moeten echter oppassen met het onszelf aanmeten van een Stanley Livingston-achtige managershouding wanneer we de huidige context verkennen. Mintzberg merkte al eens op: 'We verheerlijken eenvoudigweg onszelf wanneer we deze tijd als turbulent omschrijven. We herinneren u in dit verband aan de mensen die, wanneer ze de geschiedenis in perioden indelen, er altijd één voor hun eigen tijd reserveren. Bijvoorbeeld de kwaliteitsbeweging van de jaren negentig zet men naast het tijdperk van de dinosaurus en de Ming-dynastie. Met andere woorden, waar we echt mee te maken hebben zijn niet turbulente tijden, maar opgeblazen ego's.'

Dit gezegd hebbende: onze tijd is erg turbulent. 11 september 2001, weet u nog wel? De film *Swordfish* zou net worden uitgebracht en deze had alles erop en eraan wat je mag verwachten van een kaskraker in spe. John Travolta in topvorm, Halle Berry in top(less)vorm, en exploderende gebouwen... Zeiden we 'exploderende gebouwen'? De film kwam snel in het videocircuit terecht. Exploderende gebouwen waren gewoon niet leuk meer na *nine eleven*...

Marketingintelligentie is een proces

Ook al oogt een functie als *'Manager Market Research'* best indrukwekkend op een visitekaartje, marketingintelligentie betreft eerder een proces dan een functie. Marketingintelligentie wijst op een systematisch proces voor het verzamelen en analyseren van marketinggegevens, en het creëren, verspreiden en gebruiken van kennis, met als doelstelling het ondersteunen van de organisatie bij het bereiken van haar doelen.

Onzekerheid is inherent aan ondernemen. Een business roadmap kan echter slechts zo goed zijn als de informatie waarop deze roadmap gebouwd is. Dit vereist een professionele benadering van de kennisproblematiek. Dit is geen pleidooi voor het martelen van uw gegevens (*'paralysis through analysis'*), maar een pleidooi voor een permanente, pro-actieve investering, gericht op probleemoplossing. Het moet geworteld zijn in een methodologisch professionele benadering, en getoetst worden op kosten-batenoverwegingen. Er moet alleen geïnvesteerd worden in marktonderzoek wanneer de verwachte baten de verwachte kosten overtreffen.

De doelstelling van marktintelligentie is een *aanvaardbare onzekerheid* te verkrijgen. Gebrek aan informatie baart veel misère. Maar ook informatie op zich is onvoldoende. Er moet met deze kennis iets gedaan worden. 'Elke vrees wordt waarheid wanneer we haar niet onder ogen durven te zien', stelde Bertrand Russell. Veel bedrijven wenden middelen aan, sommige zelfs 'substantiële middelen' (sic), om markten en concurrentie te verklaren. Het heeft echter geen nut om informatie te verzamelen zonder die te gebruiken. Toch hebben de meeste marktonderzoeken één kenmerk gemeen: al te vaak hebben zij geen enkel effect op de organisatie. Marktstudies zijn marktleiders in het opnemen van stof in vergeten archieven in het hoofdkantoor. 'Be real, confront the brutal facts and act upon them', aldus Philips-topman Gerard Kleisterlee.

Marktintelligentie bekijken we dus vanuit het oogpunt van de *marktoriëntatie*, gedefinieerd als het organisatiebreed genereren van marketingintelligentie die van toepassing is op huidige en toekomstige klantbehoeften, de verspreiding van de intelligentie over afdelingen en het reageren van de gehele organisatie op deze intelligentie[4].

Informatie over uw klanten en niet-klanten is dan essentieel voor een juiste sturing van uw marktstrategie. Maar optimalisering van de vraagzijde vereist heel wat meer dan louter kennis van de primaire vragers. Marketingintelligentie is een proces dat eveneens aan tal van andere inhoudelijke domeinen aandacht dient te besteden.

Zo moet u ook ten zeerste geïnteresseerd zijn in wat de concurrentie te bieden heeft, evenals in trends en verschuivingen bij de leveranciers, distributie en overheid. Het beschikken over up-to-date inzichten met betrekking tot toekomstige overheidsinitiatieven en kronkels in de milieuwetgeving bespaart u een hoop updating en dure re-engineering bij de ontwikkeling van een nieuw productplatform.

'Only the paranoid survive', zo verkondigde Intels Andy Grove. Onze ervaring is echter dat veel van de zogenaamd lerende organisaties hun concurrenten op het industriële schaakbord het IQ van Forrest Gump toedichten (75). Voldoende levenswijsheid, maar niet bij machte het schaakmat te vermijden. Dit is een wel erg naïeve blik op de concurrentie. Bovendien is een dergelijk misplaatst superioriteitsgevoel ronduit gevaarlijk. Een juistere metafoor van het concurrentieschaakbord is tenslotte een simultaanpartij tegen tien gelijkwaardige opponenten. Winnen ligt dan niet zozeer voor de hand.

Een manier om een dergelijke simultaanpartij te winnen is door u te verplaatsen in de situatie van de tegenpartijen. Zo'n actief schaakbord wordt ook wel *war gaming* genoemd! Een kleine Vlaamse voedingsfabrikant hanteert dan weer *shadow marketing*. Elk van de topmanagers is verantwoordelijk voor de informatieverzameling van één bepaalde concurrent (bijvoorbeeld Nestlé, Unilever). Een dergelijke aanpak vermijdt dat informatie ieders verantwoordelijkheid en niemands plicht is. En om de zoveel maanden wordt een rollenspel gespeeld: indien u in de schoenen van Nestlé zou staan, met de kennis die u nu hebt, wat zou dan uw volgende stap zijn?

Marktintelligentie vereist een effectieve en efficiënte doorstroom van informatie. Anders gesteld: ook interne informatie is vitaal! Marktinformatie is niet alleen de verantwoordelijkheid van de marketingfunctie (godzijdank!). Bepaalde productiemensen verwerven belangrijke kennis wanneer ze andere fabrieken of klanten bezoeken. Verkopers hebben een geweldige toegang tot de gebeurtenissen op de winkelvloer. Ze moeten natuurlijk wel bereid zijn te kijken en inzichten systematisch bij te houden.

Bedrijven onderwaarderen niet alleen de intellectuele slagkracht van de concurrenten, ze overwaarderen even vaak hun eigen competenties op dat gebied. Een eenvoudig voorbeeld. In de huidige context hebben organisaties vaak vele filialen. Indien een van deze dochtermaatschappijen erover denkt een nieuw product op de markt te brengen, kan zij beter voortbouwen op eventueel bestaande kennis in andere onderdelen van het bedrijf. Elke vestiging vormt immers een antenne in de markt. Dit klinkt aantrekkelijk, maar is moeilijk in de praktijk te brengen. Indien uw onderneming vijf vestigingen telt, zijn er tien communicatielijnen tussen deze eenheden[5]. Indien u tien vestigingen hebt, zijn er 45 communicatielijnen. Als er twintig vestigingen zijn, zijn er in één klap 190 communicatielijnen! Indien u de verspreiding van informatie niet formaliseert, zal de observatie van Roosenbloom en Wolek van dertig jaar geleden nog steeds geldig zijn. In hun klassieke studie over communicatie op – de traditioneel zeer communicatie-intensieve – R&D-afdelingen besloten ze dat informatie op zoek naar de juiste persoon bijna even vaak voorkwam als de persoon op zoek naar de juiste informatie[6].

Veel ondernemingen denken weliswaar een intelligent netwerk van competenties te zijn, maar zij zijn eerder een conglomeraat van afzonderlijk functionerende eenheden. 'Apartheid' in een bedrijfs-economisch jasje. Pijnlijk, maar zelfgenoegzame organisaties met gebrekkige marktkennis ontberen precies het reflecterende vermogen hun eigen anachronismen te onderkennen.

Sluwheid verhoogt de boerenslimheid

De manier waarop je een vraag stelt, bepaalt het antwoord dat je krijgt. Op een afgeleefde vraag krijg je geen wervelend antwoord. Indien management inderdaad gesystematiseerd boerenverstand is, kan een sluwe aanpak een belangrijke meerwaarde bieden.

Een producent van airconditioningsystemen bood zijn installateurs aan om het verpakkingsmateriaal gratis op te halen bij de volgende levering. Dit initiatief werd ten zeerste gewaardeerd door de inkoopverantwoordelijken. Ook in deze sector zijn de bedrijfskosten om milieukosten te vermijden immers aanzienlijk. Deze inkopers gaven zich er echter geen rekenschap van dat deze producent niet alleen hun eigen verpakkingsmateriaal meenam, maar dat hun werknemers met plezier ook al het andere verpakkingsmateriaal meegaven! Gevolg: voor een jaarlijkse prijs van € 50.000 slaagde dit bedrijf erin om een volledig inzicht te verwerven van het koopgedrag van al zijn klanten. *A twisted mind is a joy forever!*

De voorbeelden van alternatieve gegevensbronnen zijn legio:
* jaarverslagen, ondernemingsrapporten en publieke verklaringen van het topmanagement: de directie kan zich niet veroorloven te liegen tegen haar aandeelhouders;

- patenten: Procter & Gamble kon de sterktes en vooral de gebreken van Unilevers Omo Power inschatten via hun technologisch trackrecord;

- personeelsadvertenties: als een concurrerende industriële productonderneming overgaat tot de werving van acht *application engineers*, kun je toch inschatten wat de toekomst zal bieden;

- luisteren op conferenties: de vragen van deelnemers van concurrerende ondernemingen kunnen soms interessanter zijn dan de presentaties zelf;

- nepsollicitatiegesprekken, of beter nog, interviews van sollicitanten: dat u op dieet bent, betekent niet dat u het menu niet mag bekijken;

- praten met klanten maar ook met toeleveranciers van uw concurrenten: u zou verrast zijn hoeveel een trouwe leverancier vrijgeeft onder het genot van een goed glas wijn en dito diner in een fijne keuken met Michelin-ster;

- gezamenlijke projecten met klanten van uw concurrent: het management zal zijn medewerkers erop wijzen dat vertrouwelijke informatie niet doorgegeven mag worden, maar in een vlot verlopend project gaat de geruchtenmolen snel aan de slag.

Sommige lezers zullen aangeven dat dit niet meer ethisch is. Dit zijn echter geen voorbeelden die *wij* verzinnen, maar wel concrete voorbeelden hoe het in de *praktijk* gebeurt.

Waar geld omgaat, wordt informatie uitgewisseld. In onze westerse samenleving toont men zijn standing, of ambieert men een betere standing, door de informatie die wordt uitgewisseld. 'As a general observation, people leak stuff to be big shots', observeerde een Engels investeerder met betrekking tot insider trading. Het is in de wereld van concurrentie-intelligentie niet anders. Een van de redenen waarom een R&D-directeur van een chemisch bedrijf niet duldde dat zijn medewerkers vragen stelden op technologische conferenties, was dat zij door de aard van de vragen veel prijsgeven over hun referentiekader. En daarom vinden wij het nooit zo erg een interview te geven aan de concurrentie: als we weten wat zij willen weten, weten wij genoeg!

CRM: 'Controleer het Respect in de Markt'

De belangrijkste handboeken over marktonderzoek benadrukken nog altijd op een eenvoudige wijze het ad hoc marktonderzoek. De tijd is echter reeds lang voorbij dat de belangrijkste informatie uw bedrijf binnenkwam door middel van een marktonderzoeksrapport. De verstandige ondernemingen maken gebruik van een breed spectrum van methodes om continu de markt in de gaten te houden.

Te veel bedrijven zien marktonderzoek als een activiteit waarvoor studenten kunnen worden ingehuurd ('*dataslaven*'). Er is op zich niets verkeerd aan het inzetten van studenten. Er is echter vaak wel iets goed fout met de denkwijze van de managers die deze studenten inhuren. Marktonderzoek wordt nog te vaak gezien vanuit een reactief standpunt: 'Help, ons product is niet succesvol op de markt. Wat nu?' Men geeft eenmalig wat geld uit, verzamelt gegevens, produceert één of twee louter descriptieve taartdiagrammen en gaat vervolgens door met de orde van de dag.

Recent zagen we de opkomst van CRM (*Customer Relationship Management*) en andere verfijnde gereedschappen om nauwkeurig de concurrentie en het klantenbestand te onderzoeken[7]. Tot op heden blijken voornamelijk de leveranciers van dergelijke systemen (SAP, Siebel, Oracle) te winnen bij de implementatie van deze technologie. Meer dan de helft van de projecten is in de praktijk niet de commerciële deus ex machina die ervan verwacht werd. Het gebrek aan een goede integratie van bestanden, processen en personeel blijkt de belangrijkste oorzaak te zijn.

Veel initiatieven om een CIS-intranet (*Competitive Intelligence System*) te bouwen, slibben al snel dicht tot een niet-systematisch bijgehouden en weinig relevante elektronische knipselkrant. Data vereisen een systematische ijking, willen zij als een verrijking van de kennisbasis fungeren.

We geloven absoluut dat technologieën als CRM en CIS een goede bijdrage kunnen leveren aan het opwaarderen van de kennisbasis van het bedrijfsleven. Maar dergelijke technologieën worden vaak geïntroduceerd zonder een afstemming met andere kernprocessen. Marketing wordt, net als R&D, als een ivoren toren bekeken. *Living apart together...*

De data liggen voor het grijpen

CRM heeft als gevolg dat nu ook andere ondernemingen dan de voedingsbedrijven en andere FMCG-protagonisten (*Fast Moving Consumer Goods*) de waarde van een *fact-based* marketingbeleid onderschrijven. Dit mag niet impliceren dat slechts 'harde' data verzameld worden. Een marketingdirecteur van een grote bank illustreerde ludiek de marktvervreemding bij zijn marktonderzoekers: 'Volgens onze marktonderzoekers heeft onze gemiddelde klant één borst en één testikel. 50 procent van onze klanten is man, 50 procent is vrouw...'

Goede marktonderzoekers zijn eens in de zoveel tijd *softies*. Trouwens, wat bedoelen we eigenlijk met harde gegevens? Wat betekent een zeven op een tienpuntsschaal over klantentevredenheid nou echt? Laat u zich niet misleiden: veel zogenaamde 'harde' data zijn in feite gesystematiseerde syntheses van een subjectief gevoel.

Zachte informatie kan verrassend hard aankomen. Hoe vaak wordt een manager van een hotelketen aangenaam verrast als gast in het eigen hotel? Kijk, dat is nu eens marktonderzoek met impact!

We herinneren ons een marktstudie onder tramgebruikers in Amsterdam. Het researchteam ging van tram tot tram, ondertussen continu filmend. Deze videoverslagen waren rijker dan de statistische gemiddelden van honderden respondenten die een saaie tien pagina's lange vragenlijst invulden voor een vergelijkbare studie in Rotterdam. Een oudere persoon zien vallen door het ruwe rijgedrag van de trambestuurder doet tenen krullen bij de beleidsmakers. Dit is wat we bedoelen met impact!

Soms liggen de data echt voor het grijpen. Toen Albert Bert en Rose Claeys in 1975 de Pentascoop openden in Kortrijk, luidde dit een tijdperk van schaalvergroting en professionalisering van het Belgische bioscoopwezen in. De leegstaande panden in het aanpalende Kapucijnenstraatje werden Bourgondisch omgetoverd in cafés, restaurants en andere plaatsen van plezier. Parkeergelegenheid was om de hoek. We kunnen ons niet aan de indruk onttrekken dat wijlen Albert Bert gesystematiseerd gezond boerenverstand hoog in zijn vaandel had. Want wat is anders de huidige Metropolis (Antwerpen) of Kinepolis (Brussel) dan de integratie van de bioscoopzalen van Pentascoop, de uitgaansbuurt van het Kapucijnenstraatje, en de parkeerplaats... onder één dak?

Het moeilijke fruit smaakt (soms) beter

De metafoor van de laaghangende, makkelijk te plukken kersen is zeker bekend. Natuurlijk zijn de laagst hangende kersen het makkelijkst te plukken. Wanneer u echter een methode hebt ontworpen om de bovenste te plukken, kunt u in principe de hele boom leeghalen. Producten ontwikkelen of verfijnen voor A-klanten en andere *lead users* stelt u op latere tijdstippen in staat de andere segmenten te bereiken. Veeleisende klanten kunnen ook vrijgevig zijn. Lead users leiden door hun competenties.

Het kwam al voor in het verre wilde westen. Oorspronkelijk opgestart als een ijzerwarenwinkel in Ogden (Utah), verkochten de gebroeders Browning onder meer hengels, fietsen, naaimachines en natuurlijk vuurwapens en munitie. Na verloop van tijd richtten de broers zich steeds meer op vuurwapenreparatie en -productie. Zo kocht het in het oostelijke New Haven gevestigde Winchester ontwerpen en patenten van Browning. De beste marktinformatie vind je heel vaak daar waar de actie is!

De lead user-methode[8] vormt een goede aanpak om marktinformatie in actie te vertalen. Let wel: dit is geen vrijgeleide voor slordige gegevensverzameling; deze aanpak volgt een rigoureuze methodologie. Een succesvolle afronding stelt u echter in staat geloofwaardigheid op te bouwen bij toekomstige klanten.

Veeleisende klanten stellen je in staat een informatievoorsprong op te bouwen in markten waar andere gegadigden aan tafel willen komen. Als u pas op zaterdagmiddag beslist een (g)astronomische maaltijd te willen nemen in het driesterrenrestaurant Parkheuvel in Rotterdam, dan is het menu in te zien, maar de tafel niet beschikbaar. Lead users houden je in vorm in de snel evoluerende, complexe wereld.

Wegwijzers

1. Marktintelligentie is het resultaat van een proces waar de hele organisatie bij betrokken is.
2. Goede vragen leiden tot goede antwoorden.
3. Het is onzin dat goed marktonderzoek duur is.
4. CRM en aanverwante technologieën gedijen pas wanneer zij organisatiebreed werkzaam zijn.
5. De weg van de meeste weerstand levert vaak de juiste informatie op: maak daarom gebruik van veeleisende klanten en lead users.

HOOFDSTUK 3

Wauw! Wat ambieert u wel?

Inzicht in de bedrijfstak

'Rolls-Royce concurreert niet met andere auto's – de belangrijkste concurrenten zijn luxeproducten zoals jachten, huizen, kunstcollectie en dure juwelen.'

Keith Sanders – RR Motor Cars Ltd.

Medewerkers van Philips vertellen graag dat de technische prestaties van hun Video2000-systeem hoger waren dan die van de beste VHS-videorecorder twee decennia later. De klant hanteerde blijkbaar andere beslissingsregels. En dus is dit avontuur voor Philips uitgelopen op een traumatisch debacle.

VHS ontwikkelde zich tot het dominante ontwerp in de bedrijfstak en Video2000 kreeg markttechnisch een bijrol in het 'Evoluon Museum der Moderne Kunsten'. Een van de vaak geciteerde redenen voor het niet slagen van Video2000 betrof het uitblijven van pornofilms op Video2000-formaat. Deze vorm van 'kunstuiting' was wel uitgebreid aanwezig op het VHS-formaat.

Concurreerde Philips in de videorecorderbusiness en pasten de klanten daarop hun filmkeuze aan? Of concurreerden ze in de ontspanningsbusiness en pasten de klanten de keuze van hun videorecorder aan? Het antwoord liet aan duidelijkheid niets te wensen over.

Het definiëren van de business waarin de onderneming concurreert is misschien wel een van de fascinerendste vraagstukken. Sinds het begin van de jaren negentig stellen ondernemingen als Canon, Océ en Xerox zich een ogenschijnlijk eenvoudige vraag: vermarkten we printers of vermarkten we kopieerapparaten? Printers lijken steeds meer op *one-size-fits-all* kopieerapparaten. Of was het net omgekeerd?

Containertermen verpakken vooral lucht

Bayer maakte in januari 2002 bekend dat het 9600 appartementen en 4000 garages zou verkopen. De aldus verkregen € 1 miljard zouden aan de *kernactiviteiten* besteed worden. In sommige onderne-

45

mingen werkt er niet alleen minder personeel, het woont er ook steeds minder.

Ach, ze komen eenvoudig en levendig voor ons geestesoog – de bedrijfsleiders die schijnbaar achteloos melden dat hun recente acquisitie uitermate goed past in het totaalplaatje van hun *core business*. En 'nee,' zo melden ze ad rem en enigszins neerbuigend aan een journalist die ook oog heeft voor de minder riante bedrijfsresultaten, 'die andere desinvestering heeft eigenlijk nooit thuisgehoord in onze *core business*'.

Het klinkt bijzonder chic, als je het zo in het Engels hoort uitspreken. Het lijkt wel of een aantal hedendaagse containerbegrippen, net als de betere Bourgognewijnen, een vast onderdeel van de managementetiquette geworden zijn. Op dergelijke momenten brengt men – jammer genoeg – de inhoud van het acroniem MBA terug tot Maximale Bedrijfsarrogantie.

Hoe grondig het kerncompetentiedenken ingebed is in het bedrijfsleven, mocht recent zelfs de Nederlandse fauna aan den lijve ondervinden. Toen het biotechnologiebedrijf Pharming de genetisch gemanipuleerde stier Herman uitbesteedde, gaf het bedrijf aan dat Herman niet tot hun kernactiviteiten behoorde. 'Van ons hoeft Herman niet dood. Hij is een icoon van het bedrijf en heeft een belangrijke functie in de public relations voor het soort werk dat we doen. Als er iemand opstaat die de kosten wil betalen, werken we daar graag aan mee', meldde de woordvoerder dood(?)leuk. Deze onnatuurlijke viervoeter past dan blijkbaar wel weer in de kernactiviteiten van het Leidse natuurhistorische museum Naturalis (what's in a name?). Overigens, de elektronicafabrikant Nedap en uitvaartverzekeraar (!) Yarden nemen de verzorgingskosten van € 45.000 per jaar voor hun rekening.

Het begrip 'kernbedrijvigheid' heeft in een heel kort tijdsbestek een zeer brede acceptatie gevonden onder de crème de la crème van de managers. Toen we twintig jaar geleden bedrijfsleiders interviewden, hanteerde men dit begrip zelden. En kijk, Hamel en Prahalad schrijven een onderhand legendarisch artikel[9] en het vocabulaire van de manager stijgt *hic et nunc* naar een drastisch hoger peil. De knappe publicaties van Hamel en Prahalad creëerden meer ontzag voor het onderwerp bedrijfsstrategie dan enige Europese richtlijn voor de euro.

De eerste vraag in business roadmapping luidt ogenschijnlijk bijzonder banaal: 'What business are we in?' Het antwoord, zo leert de praktijk, is minder duidelijk. In de marketingwereld bestaat bovendien een scala aan buzzwords waarin we gemakshalve grossieren om niet te hoeven toegeven dat we er eigenlijk zelf niets van begrijpen.

Het zal Herman een zorg wezen. Het museum Naturalis wordt Station Terminus voor Herman. Hij krijgt het gezelschap van liefst twee gekloonde koeien, Belle en Holly. Oscar Wilde meldde het reeds: 'In married life, three is company, two is none.'

Een 'aha-erlebnis' bij een 'wauw-belevenis'

Zoals opgemerkt in hoofdstuk 2 zal de wijze waarop u de vraag stelt in grote mate het antwoord bepalen. We kunnen volgens Abell[10] een bedrijf beschrijven aan de hand van drie dimensies:
- Aan welke *klantengroepen* kunt u uw aanbod kwijt? Met andere woorden: wat zijn de onderscheiden *segmenten*?
- Welke *functies* vervult uw aanbod voor uw klanten? Met andere woorden: wat zijn de *behoeften* van uw klanten?
- Wat zijn de *alternatieve technologieën* die u in staat stellen deze functies te vervullen? Dit is een vraag die we in het hedendaagse perspectief zouden willen herformuleren als: welke *competenties* stellen u in staat deze functies te vervullen?

Dit zijn toch voorwaar eenvoudige vragen? Zo neemt een manager (*doelgroep*) het vliegtuig bij KLM (*competentie*) om getransporteerd te worden van Amsterdam naar Parijs (*functie*). Concurrerende competenties betreffen dan onder meer het treinverkeer en de auto. Of niet soms?

Natuurlijke experimenten geven ons vaak het antwoord op dergelijke vragen. Zo zat na het uitbreken van de Golfoorlog in 1991 de schrik voor aanslagen er goed in bij menig Amerikaans manager. Ze verboden daarom hun werknemers in Europese vestigingen zakenreizen per vliegtuig te ondernemen. Expatriates van allerlei pluimage sprongen op de trein... en wel die van de nieuwste communicatiemiddelen! Het gezicht van Saddam Hoessein op CNN vormde een fantastische reclame voor videoconferencing. Bij de ontwerpafdeling van een vrachtwagenbouwer zagen we een reductie van de reisuitgaven met 75 procent! Voor ons is het daarmee wel duidelijk: voor de reizende manager verzorgt KLM niet zozeer transport maar eerder de communicatie met zijn klant of collega.

De boodschap is eenvoudig: indien je écht wenst te weten in welke bedrijfstak je onderneming actief is, observeer dan substitutiegedrag! Het is veruit de eenvoudigste wijze om je eigen business te bepalen. Op voorwaarde natuurlijk dat je het tijdig uitvoert...

Zo wijst men er af en toe op dat commerciële televisiestations lijden onder internet. Jongeren surfen zich blijkbaar liever suf op de grote datasnelweg dan op het televisiescherm. Enerzijds kan men stellen dat het een tijdssubstitutie betreft. Alhoewel de hedendaagse jeugd behoorlijk multimediaal is opgevoed, kunnen jongeren die surfen moeilijk tegelijkertijd tv-kijken. Anderzijds stelt men eveneens vast dat het type van inspannende ontspanning dat op de latere uren op sommige tv-kanalen te bekijken is, 24 uur beschikbaar is op internet. Carl Huybrechts had niet volledig ongelijk toen hij meldde dat men een adequate oplossing gevonden had voor het mestoverschot in Nederland: men exporteerde het op de commerciële televisie in Vlaanderen. Dergelijke 'mest' is probleemloos te vinden op internet.

W(hat) w(ent) w(rong) voor de commerciële televisie? Het antwoord ligt nu eens letterlijk besloten in de vraag!

Men kan zich beter niet blindstaren op een te enge definitie van de bedrijfstak wanneer men kijkt naar de primaire competenties van een onderneming. Het is slechts statistisch van belang dat we de verkoop van een Rolls-Royce in de categorie van de automobielen onderbrengen.

Denken, voelen, zijn

Wanneer studenten een feestje organiseren, kopen ze whisky vaak op functionele basis[11]. In een nabije *hard discounter* zoeken ze naar de beste alcohol-prijsverhouding. Onze meer wiskundige academische collega's zouden dit aanduiden als een klassiek lineair programmeringsvraagstuk!

Maar men schaft producten en diensten niet alleen aan vanwege de *functionele* behoeften. Wanneer men een succesvolle carrière heeft, zullen degenen die whisky blijven drinken overgaan op duurdere maltmerken zoals Oban, Cragganmore of Macallan. Als u dit nog niet hebt mogen ondervinden: geloof ons op ons woord!

Er is niets functioneels aan het drinken van whisky. Het voelt gewoon erg goed. Tenminste, als u van whisky houdt. Dat is wat we definiëren als een *gevoelsmatige* behoeftebevrediging: het is aangenaam voor de zintuigen. In de omzetstatistieken is Duvel een bier. In de beleving is Duvel een godendrank in bierverpakking.

Sommigen zullen zeggen dat chocolade de hersenactiviteit stimuleert vanwege het magnesium dat het bevat. Wij hebben collega-wetenschappers geobserveerd die in hun leven de spreekwoordelijke tonnen chocolade hebben verorberd. Heeft die consumptie de prestaties van hun hersenactiviteiten verbeterd? Nee hoor. Vonden ze het lekker? Zeker weten!

Dan zijn er ook nog *symbolische* behoeften. Wanneer u uw oude klas- of studiegenoten uitnodigt, kunt u ervoor kiezen een of andere gerijpte malt whisky te schenken. Het laat uw voormalige schoolgenoten iets zien over wie u bent (u hebt duidelijk een verfijnde smaak) en over wat u hebt bereikt in het leven (u verdient overduidelijk veel).

Puur functioneel vervangt een Winkler Prins-cd de bestaande encyclopedie. Maar geef toe, een ordinaire cd-box laat toch minder uw intellectuele verworvenheden zien dan een rijtje kloeke boeken? Dit is ook de reden waarom uitgeverijen als Kluwer voor hun professionele klanten de cd's in een boekenkaft verpakten. In dergelijke kringen is decor niet decoratief!

Het spelen van golf kan dan wel een gezonde seniorengewoonte zijn, het vertelt ook veel over de persoon die deze sport beoefent. Wandelen over een golfparcours kan men het best omschrijven als 'expensive walking', en het obligate praatje erna met gelijkgestemde zielen in de golfclub als 'expensive talking'. Over decorum gesproken.

De behoefte aan beleving en symboliek is meer aanwezig dan u vermoedt. Wat voor kleur heeft een Ferrari? Rood natuurlijk (pas kortgeleden heeft Ferrari dat nietszeggende grijs aan het kleurengamma toegevoegd). Als we u zouden vragen: wat voor kleur heeft een Volvo, zou u misschien uw hoofd een beetje naar rechts buigen en ons aankijken met een blik van: 'Goh, die hebben zeker genoeg Glenfiddich op.' Bevredigt een Ferrari een functionele behoefte? Uiteraard, maar eerlijk gezegd: je hebt zo'n auto niet nodig wanneer je de met keien bestrate weggetjes van West-Europa op gaat.

Een deelnemer aan een van onze seminars merkte ooit op dat een Ferrari niet eens een betrouwbare auto is. Hij voegde hieraan toe, als eigenaar van twee Ferrari's, dat hij de ene in feite gebruikt voor reserveonderdelen voor de andere. Maar toegegeven, een Ferrari ziet er gewoon geweldig uit. Hij geeft gehoor aan de behoefte aan een bepaalde beleving (voor diegenen die het kunnen betalen). Een Ferrari is eenvoudigweg een lust voor oog en oor.

Conditionering beperkt het inzicht

Uit onderzoek blijkt dat men een kikker gaar kan koken zonder dat het beestje uit de pan probeert te ontsnappen. Het is voldoende de temperatuur zeer geleidelijk te laten toenemen. Fysiologisch gezien kan een kikker te kleine temperatuurverschillen niet waarnemen.

Marketeers ondergaan hetzelfde lot: zij worden geleidelijk mentaal gaar gekookt. Zo is de informatiesnelweg niet gestart met een luide knal midden de jaren negentig, zoals sommige marketeers ons willen doen geloven, maar ontkiemde deze bij het opstarten van Arpanet in 1969, waarbij men verschillende universitaire computersystemen door Darpa (Defence Advanced Research Projects Agency) met elkaar verbond. De term 'World Wide Web' deed voor het eerst opgeld in 1989 binnen CERN, het Europese onderzoekscentrum voor atoomfysica.

Een dagelijkse conditionering onderwerpt onze opmerkzaamheid aan een bijzonder gevaarlijke vorm van lethargie. Zo leerden we ooit dat het zicht van een bepaalde indianenstam in het Amazonegebied door de generaties heen geconditioneerd was door hun natuurlijke habitat. Hun visuele competenties waren optimaal voor de korte afstand in donkere omgevingen. Aan open, heldere vlakten bleken hun ogen heel wat minder aangepast.

Het is in het bedrijfsleven niet anders. Iedere bedrijfstak evolueert immers naar een dominant ontwerp[12]. Dit is de vormgeving van het product dat of van de dienst die biedt wat de klanten wensen, tegen een prijs die de klanten bereid zijn te betalen. Veel veranderingen starten klein – in andere bedrijfstakken – en dringen pas jaren later de mentale belevingswereld van de manager binnen. Het is nog sterker: telkens als een scheikundig ingenieur, een bankdirecteur of een systeemanalist de poorten van zijn of haar organisatie binnenwandelt, wordt het heersende dominante ontwerp versterkt.

Hoe beter je wordt in het spelen van een spel, hoe moeilijker je kunt omschakelen naar een andere tak van sport. Dominante bedrijven zijn dus veelal niet in staat de sprong naar nieuwe competenties te maken. Het is niet de wet van de remmende voorsprong, maar die van de remmende conditionering die nu in werking treedt.

Microsoft ging pas heel laat over tot een *'embrace & extend'* van internet. Zelfs een pientere whizzkid als Bill Gates onderkende de opkomst van internet laat, zeer laat. Software is nog steeds zijn business, maar het is steeds minder een product en steeds meer een dienst. Software wordt verhuurd en beheerd.

De voormalige COO van Barco, Erik Dejonghe, vertelde ons ooit: 'Het is zeer makkelijk ja te zeggen tegen een voorstel voor een innovatie, maar het is zeer moeilijk er nee tegen te zeggen.' We gaan hiermee ten dele akkoord. De uitspraak gaat inderdaad op voor incrementele vernieuwingen. Je hoeft meestal zelfs geen cash flow-analyse te maken voor innovaties die in het verlengde van het bestaande traject liggen. Maar het is heel moeilijk om ja te zeggen op competentievernietigende innovatietrajecten. Meestal is het heel makkelijk er nee tegen te zeggen. Dergelijke innovaties worden immers meestal geïnitieerd in andere sectoren en worden gelanceerd met ernstige minpunten. Zo vertonen ze vaak een ongelukkige combinatie, namelijk die van minder betrouwbaar en toch duurder. Wat een propositie!

Een nieuwe basisarchitectuur

De klantwaardepropositie van grote boekhandels als Donner, FNAC en Standaard Boekhandel is hun ruime assortiment tegen concurrerende prijzen, begeleid door deskundig advies. In essentie brengt Amazon.com hetzelfde, en toch hebben we het vage gevoel dat we praten over twee verschillende wijzen van bedrijfsvoering.

Nieuwe producten en vormen van dienstverlening kunnen een bundeling brengen van waardeproposities die we vroeger afzonderlijk aanschaften. Dergelijke *strategische innovaties* veranderen de basisarchitectuur van vraag en aanbod in een bedrijfstak. Enkele concurrenten hergroeperen hun competenties en gaan over naar een compleet nieuwe invulling van de waardepropositie.

Amazon.com is een goed voorbeeld van een strategische innovatie. Een voorbeeld. Wij geven de voorkeur aan een historisch getinte misdaadroman (de één zijn dood is echt wel de andere zijn brood...). Toen we een paar jaar geleden een verkoper van FNAC vroegen naar een boek vergelijkbaar met *An Instance of the Fingerpost* van Iain Pearse, suggereerde hij *The Quincunx* van Charles Palliser. Echter, op de website van Amazon.com leerden we dat personen die geïnteresseerd waren in *An Instance of the Fingerpost* ook geïnteresseerd waren in *The Quincunx*. FNAC en Donner gebruiken deskundig personeel om deskundig advies te geven, Amazon.com gebruikt een relationele database om deskundig advies te genereren. De basisarchitectuur van de vereiste deskundigheid is totaal verschillend, het eindresultaat is hetzelfde. Wat telt voor de klant? De wijze waarop het advies totstandkomt of het advies zelf?

De weg naar de markt

Produceert Henkel voor de eindklant zoals u en wij, of voor Albert Heijn en Carrefour? Hetzelfde geldt voor een industriële onderneming als 3M. Wie is hun klant? Dit is een zeer intrigerende vraag. Is het de eindklant, die bijvoorbeeld een aantal industriële onderhoudsproducten nodig heeft? Of is het de industriële groothandel, die misschien niet de goederen actief specificeert maar als logistieke tussenschakel wel de facturen betaalt?

Zelfs Schiphol probeert de eindklant te bereiken, op www.schiphol.nl middels een aantal extra's. Hun echte klanten kunnen dan wel de luchtvaartmaatschappijen zijn, de inrichting van Schiphol geeft mooi aan dat ze meer ambiëren dan een loutere *go-between* voor de bestedingsgrage passagier te zijn. Wanneer de eindklanten op Schiphol weigeren te stranden, zullen de vliegtuigen er niet landen.

Iedere business roadmap moet een *'way to market architecture'* opnemen die duidelijk weergeeft wie de tussenliggende schakels vormen, hoe men zijn producten en diensten bij de eindklant brengt en wat de onderliggende relaties zijn. Sommige van deze partijen zullen niet de rekening betalen, maar zijn zeer belangrijk bij het beïnvloedingsproces. Zo zijn architecten en ontwerpbureaus meestal niet de betalende, maar wel de bepalende partijen.

Focussen op de tussenschakel zonder de eindklant in ogenschouw te nemen is kortzichtig. Het is het commerciële equivalent van zijn ziel aan de duivel toevertrouwen. Een hels plezier voor de tegenpartij, voorwaar.

Aan de andere kant willen we waarschuwen voor één van de modewoorden in nogal wat bedrijven: *'Reaching the end customer.'* Disintermediatie door middel van e-commerce heeft menig marketeer aan het dromen gebracht. Waarom niet de tussenschakel elimineren? Een aardige gedachte, maar wel wat naïef.

Waarom? Wel, heel vaak hierom: men kan de tussenschakel elimineren, maar niet de functies die de tussenschakel vervult. Het voeren en beheren van een bont allegaartje van vaak weinig gerelateerde producten en diensten, eufemistisch vaak getypeerd als een assortiment, en dit alles efficiënt en tijdig bij de klanten brengen is geen sinecure. Zou u het kunnen?

Is het niet lonender om een win-win – excuseer ons voor dit cliché – te creëren met de tussenschakels? Een goede analyse van de weg naar de eindklant helpt veelal bij het analyseren hoe u de tussenschakels als hefboom kunt hanteren. Push en pull zijn geen elkaar uitsluitende opties, maar eerder twee zijden van éénzelfde medaille.

Wegwijzers

1. Een business wordt bepaald aan de hand van klantengroepen, klantenbehoeften en competenties vereist om deze te vervullen.
2. Wees expliciet in uw analyse: met grote woorden verdwaalt u.
3. Vermijd narcisme in uw bedrijfsbepaling: navelstaarderij op basis van uw specifieke competenties is een gevaarlijke benadering.
4. Producten worden gekocht omwille van functionele, zintuiglijke of symbolische behoeften.
5. Ontwikkel een blauwdruk over uw 'weg naar de markt' en specificeer het belang van elke participant in deze architectuur.

HOOFDSTUK 4

Een weg banen door de jungle

Analyse van de bedrijfstak

'Na een groot aantal jaren zijn we tot de conclusie gekomen dat we nog nooit een trend hebben gezien die we niet leuk vonden.'

Schmitt, voormalig CEO Rubbermaid

Begin 1997 was er beroering in België. Het bedrijf Renault had plotseling, zo leek het, besloten de Belgische Renault-fabriek in Vilvoorde te sluiten. Iedereen was ontzet. Net als iedereen die – ongelukkig genoeg – over de drukke rondweg om Brussel moet rijden, dachten wij altijd dat de Vilvoordebrug slechts voor één doel gebouwd was: om de fabricagewerkzaamheden en de logistiek van de fabriek van Renault België niet te verstoren.

Maar deze keer zeiden de Fransen: 'Au revoir.' En ze lieten er geen 'à bientôt' op volgen. Op het sluiten van Renault Vilvoorde reageerde men met verontwaardiging. Politici voelden ineens de drang opkomen marktgericht te zijn. Ze deden, vaak op een vreselijke manier, een beroep op de Belgische lokale eer. De Fransen, zo luidde hun argument, hadden een van de meest productieve eenheden gesloten. In tegenstelling tot trends ziet men wél vaak politici die men niet mag. Zoals wij het ons kunnen herinneren, waren de verschillende argumenten een mix van rationele suggesties, groteske emoties en zielige onderhandelingen van de overheid.

Eén element staat nog in ons geheugen gegrift. Toen hem werd gevraagd naar de redenen voor het sluiten van Renault Vilvoorde, maakte een vooraanstaande consultant uit de autobranche een eenvoudige observatie. Wanneer ieder autobedrijf uitgaat van een groeiende markt en een groeiend marktaandeel, zal een aantal bedrijven in de hoek zitten waar de klappen vallen als de markt verslechtert. Wat de talloze redenen ook zijn voor het Renault-debacle, het bovenstaande argument dingt naar de eerste plaats van verklaringen. Optimisme is een sympathieke vorm van domheid! Het laat echter onverlet dat Renault als 'créateur d'automobiles' tegenwoordig op een bewonderenswaardige wijze prijzen binnenhaalt voor design en veiligheid.

Een bedrijf kan zijn klanten alleen in verrukking brengen wanneer het een manier vindt of creëert om op een passende manier om te gaan met de omgeving. Dat is het adagium van de oude systeemtheoretici. De bedrijfsomgeving verandert. Wat twintig jaar geleden misschien een winnende strategie was, kan nu een verouderde en steriele strategie zijn. Een belangrijk voordeel van vele bankbedrijven in de jaren zestig en zeventig was hun dichte netwerk van filialen. Vandaag de dag, met de komst van hulpmiddelen als geldautomaten en thuisbankieren, is een dicht netwerk van filialen eerder een last geworden in plaats van een sterkte. Microsoft merkt nu dat het bundelen van software een mooie greep naar de macht was, maar dat deze beslissing het concurrentievermogen in de markt beïnvloedt. De concurrenten en lokale overheden reageerden furieus!

Zelfs de oude meester Björn Borg ontdekte dat zijn felbegeerde houten racket een last was geworden toen hij zijn rentree probeerde te maken in het tenniscircuit. Toegegeven, fysieke slijtage komt met de jaren en een groot aantal vriendinnen deed de rest. Van held naar nobody, van grootmeester naar grootvader in een oogwenk. Dat is ook het lot van vele bedrijven.

De achterliggende filosofie van een businessstrategie is eenvoudig: als de analyse oppervlakkig is, wees dan niet verbaasd wanneer de resultaten achterblijven. Zaken hoeven ook vaak niet zo ingewikkeld te zijn. Vaker wel dan niet maken academici ons het leven moeilijk. De titel 'Dazed and Confused' van Led Zeppelin is erg toepasselijk voor hun publiek.

Echter, dit geldt niet voor de analyse van de bedrijfstak. In een geweldige bijdrage dook Harvard-hoogleraar Michael Porter diep in de literatuur op het gebied van de industriële economie en voorzag ons van een meesterwerk van toegankelijke synthese[13]. Tegenwoordig noemen we dit het vijfkrachtenmodel. Hij maakte aldus de beginselen van de industriële economie toegankelijk voor managers en academici. Veel van de literatuur op het gebied van industriële economie wemelt immers van de zogenaamde 'prikkeldraad', dat wil zeggen:

intrigerende formules en analyses, die er voor de ongeoefende lezer uitzien als misplaatste versieringen. Zelfs academici hebben steeds meer de neiging om alleen de samenvatting te lezen die voorafgaat aan de volledige tekst van een wetenschappelijk artikel!

Op stap met STEP

Er is een directe en er is een indirecte industriële omgeving. De indirecte industriële omgeving is op een aantal verschillende manieren gecategoriseerd, de eenvoudigste daarvan is nog steeds het STEP-model: sociaal, technologisch, economisch en politiek.

Uiteraard kunt u ze wanneer u dat wilt op een ander manier ordenen. Ga alstublieft uw gang! Op wat voor manier u deze indirecte krachten ook indeelt, een belangrijke verandering in één ervan kan uw bedrijf mooie kansen bieden of solide bedreigingen. Vrouwen roken steeds vaker sigaren, en de vaak verguisde tabaksindustrie heeft er een nieuw segment bij. Jazeker, een creatieve geest verschaft u een leven lang plezier!

Kinderen leren dat chatten veel leuker is dan het ouderwetse gesprek. 'Jongen-ontmoet-meisje' wordt vervangen door 'jongen-chat-met-onbekend-meisje'. Voor de nieuwe generatie jongeren zijn light frisdranken geen uitvinding meer, ze waren er altijd al. En terwijl een dertienjarige dochter er moeite mee heeft om de vaatwasser uit te ruimen en de schone vaat op zijn plek te zetten, zal ze het niet moeilijk vinden om de vreemdste knoppencombinaties onder de knie te krijgen van het nieuwste Playstation 2-goudmijntje.

Wat oudere mensen, gewoonlijk aangeduid met het seniorensegment van de markt, buigen hun hoofd iets opzij terwijl hun gezicht boekdelen spreekt: 'Wat gebeurt er allemaal tegenwoordig?' Mensen trouwen later, krijgen later kinderen, scheiden vaker... Dit heeft serieuze gevolgen voor de onderneming. Niet alleen voor de hoeveelheid en de samenstelling van fast moving consumer goods, maar ook voor de beschikbaarheid van personeel. Op eenzelfde manier biedt de multiculturele samenleving grote mogelijkheden en uitdagingen voor managers van bedrijven in een veelheid van industrieën.

We hebben ook een aantal grote technische doorbraken mogen meemaken. Stelt u zich eens voor dat een groot, internationaal bedrijf het zonder informatie- en communicatietechnologie zou moeten stellen. Men kan in alle eerlijkheid zeggen dat de uitvinding van de transistor een van de invloedrijkste uitvindingen aller tijden is geweest. Toch werd het toentertijd gezien als 'curiositeit uit een laboratorium'[14], en de alom gerespecteerde *New York Times* zette het nieuws over de persconferentie van Bell Labs' in het programma-overzicht van de lokale radio! Deze behandeling van de uitvinders Shockley, Bardeen en Brattain was beter dan die van de meeste kranten en technische tijdschriften, die hen gewoonweg negeerden…

Lester Thurow stelde het reeds vast: 'De sociologie verslaat altijd de technologie. Maar uiteindelijk verandert de sociologie.' Op de vijftigste verjaardag van de halfgeleider merkte de Scientific American op dat het maken van een mobiele telefoon door gebruik te maken van vacuümbuizen in plaats van op halfgeleiders gebaseerde chips zou resulteren in een mobiele telefoon ter grootte van het Washington Monument! Voor diegenen die dit monument op de Washington Mall nog nooit hebben gezien: de obelisk in neo-Egyptische stijl is 169 meter hoog en 17 meter in doorsnee!

We herinneren ons allemaal dat beroemde citaat uit *The Graduate* waarin een jonge Dustin Hoffman één advies krijgt over zijn carrièrekeuze: '*Plastics.*' Nou, dat is precies wat Rubbermaid deed in de jaren vijftig, toen ze rubber verruilden voor kunststof.

Moeten we benadrukken dat ook de economische en politieke omgevingen van belang zijn? Een aantal problemen bij de Miss World-verkiezing van 2002 in Nigeria waren echt voorspelbaar. Niettemin leek het voor de buitenstaander alsof de meidentrip naar Nigeria voor de Miss World-organisatie echt een maidentrip was!

U herinnert zich nog wel het eind van de jaren tachtig. Terwijl iedereen zich gericht had op Europa 92, werd men plotseling overdonderd door de snelle ontwikkelingen in Berlijn. We staarden naar de enige wereldwijde nieuwszender en zagen in real-time de val van de Berlijnse muur. Checkpoint Charlie was hard op weg een museumstuk te worden toen een groot aantal verzamelaars 'another brick in the wall' probeerden te bemachtigen. CNN heeft duidelijk het voordeel gezien van het wereldwijde dorp dat de planeet Aarde aan het worden is.

Versmachten in de vijf krachten

Porters vijfkrachtenmodel is nog steeds een kei van een instrument. Het levert namelijk een antwoord op enkele prangende vragen die we hebben:

* Hoe dynamisch en intensief is de concurrentie in uw bedrijfstak? Wie zijn de spelers?
* Hoe staat het met uw toeleveranciers?
* Wat zijn de ontwikkelingen bij uw klanten?
* Zijn of komen er substituten voor uw diensten of producten op de markt?
* Zullen nieuwe spelers uw markt betreden?

Een mooi voorbeeld is de ontwikkeling van de computer. Toen IBM zijn pc uitbracht, kon men de concurrenten op één hand tellen. Hoeveel zijn er nu? Daarna kwam de laptop, en het aantal concurrenten nam toe. Tegenwoordig zitten we massaal aan de handheldcomputers en zijn er opeens andere concurrenten in de bedrijfstak, zoals 3COM. En nu gaan we naar mobiel en is een aantal originele concurrenten er niet bij (IBM, HP) en hebben we een aantal sterke spelers die pc'tjes leveren waarmee we foto's kunnen maken, notities maken en zelfs bellen (Nokia, Samsung).

Er is veel en hevige kritiek geweest op Porters manier van kijken naar strategie. Vooral de kerncompetentieschool heeft sterke kritiek geuit. Hun argument kan als volgt worden samengevat: uw bedrijf moet zich niet alleen aanpassen aan de veranderende omgeving, u moet ook proberen pro-actief uw eigen omgeving te creëren.

Men vergeet te vermelden dat het perspectief vanuit kerncompetenties, dat sterk gericht is op de interne bedrijfsprocessen, kan vervallen tot navelstaren. Ze vergeten ook te vermelden dat er niets mis is met het model, maar alleen met het gebruik van zijn resultaten. Bijvoorbeeld: wat moeten de Europese luchtvaartmaatschappijen doen als experts ventileren dat er een reductie in het aantal luchtvaartmaatschappijen op stapel staat? We kunnen met deze constatering verder leven en doen alsof onze neus bloedt. Het zal uiteindelijk toch de markt zijn die het aantal luchtvaartmaatschappijen bepaalt dat kan gedijen.

Maar er is geen excuus voor het niet naar buiten treden, het strijdtoneel op, en het niet hebben van een Miss Marple-achtige slimheid: wie wint er, wie verliest, en waarom? Zo ziet de muziekindustrie met lede ogen dat de omzet in muziek-cd's afneemt. Consumenten hebben zoveel andere mogelijkheden hun geld te besteden – denk aan DVD's, mobiele telefoons en videospelletjes – dat er voor muziek weinig geld overblijft. Misschien dat daarom audio-cd's worden gekopieerd? Wellicht gaat Prince een voorbeeld stellen. Via www.npgmusicclub.com geeft hij zijn eigen cd's uit, tegen lagere prijzen dan in de winkel en met vele extra's! Prince gebruikt internet op de manier waarop het werkt: als gereedschap, als afzetkanaal, en hij verkoopt geen warme lucht over de onvoorstelbare mogelijkheden van e-commerce. Het is maar goed dat we lucht niet fysiek door onze verbindingen kunnen sturen! En trouwens, die 'e' is volgens ons de vijfde letter van het alfabet. Niets minder, maar ook niets meer.

Veel managers lezen de teksten van Hamel en Prahalad en soortgelijke auteurs, en besluiten zich te concentreren op de kerncompetenties van hun eigen organisatie. Ze vergeten dat de eisen voor een kerncompetentie nogal hoog zijn. Eén bedrijf, dat een wereldmarktaandeel geniet van 20 procent in zijn productniche, vond dat zijn ontwerpcapaciteiten de kerncompetentie vormden. Dit bedrijf had echter slechts twee personen in dienst voor het ontwerpen, en besteedde 80 tot 90 procent van zijn ontwerpactiviteiten uit...

Na zichzelf erg elegant voor de gek te hebben gehouden maakte het management vol vertrouwen de volgende grote stap. Ze lieten zich in met Thatcheriaanse planning, neerkijkend vanuit hun almachtige Albion, en stelden in grote afzondering een strategie samen, vergetend dat de andere deelnemers op het strijdtoneel ook een deel van de lol wilden hebben.

Bij een recente cursus over financieel management kwamen de deelnemende topmanagers van grote Amerikaanse bedrijven erachter dat de meesten van hen niet in aanmerking zouden kunnen komen voor een plaatsje in de financiële controlecommissie! En dat terwijl het juridische landschap constant verandert en de verantwoordelijkheden voor dat soort managers alleen maar groter worden.

Het is erg makkelijk een maatpak aan te doen, een sigaar op te steken, te genieten van een uitstekende whisky en te komen met een visionaire businessstrategie. U hoeft er alleen maar van uit te gaan dat u een soort van Einsteiniaans brein voor het bedrijfsleven bezit, terwijl uw significante anderen in de industriële arena lijden aan het Downsyndroom voor managers. Vanuit een dergelijk oogpunt is het verzinnen en implementeren van een slimme bedrijfsstrategie net zo makkelijk als het winnen van een potje schaak van een ongeschoolde Forrest Gump (hoofdstuk 2). Dat is een spelletje dat u zeker moet kunnen winnen. Maar waarom gaan dan zoveel bedrijven ten onder?

Omdat iedereen het spel wil winnen. En betrokkenheid is, net als intelligentie in het bedrijfsleven, redelijk normaal verdeeld. Zoals aangegeven in hoofdstuk 2: een betere metafoor voor het winnen in de markt is een simultane schaakpartij waarin u tegelijkertijd te maken heeft met een stuk of twintig gelijkwaardige, competente en betrokken tegenstanders. En sommigen van hen hebben toegang tot nog betere middelen, zoals geld, locatie, merk... Oké, op een ander strijdtoneel stelde dammer Ton Sybrands het wereldrecord simultaan blinddammen scherper. Hoeveel individuen kunnen dit? Laten we deze analogie even verder doorvoeren. Hoeveel ondernemingen in uw bedrijfstak kunnen simultaan en blind tegen de concurrentie spelen? U ziet, Sybrands is een genie!

Hoe kunt u het spel ook spelen? Door samen te werken![15] Dat mag wellicht wat vreemd klinken in een duidelijk competitieve omgeving. Hier is een voorbeeld. Zo meldde Bill Gates: 'Microsoft is geen mediabedrijf. We gebruiken kanalen, met inhoud die door partners wordt gecreëerd en beheerd met behulp van Microsoftsoftware.' *You'll never walk alone,* zo lijkt het.

Menig manager interpreteert het vijfkrachtenmodel te eenzijdig: 'Wij worden sterker als de andere partijen in de markt zwakker worden!' Toch kunnen ondernemingen er baat bij hebben om samenwerking aan te gaan. Vergis u niet: de Bob-campagne is een zegen voor de brouwerijen! Terwijl de bestuurder alcoholvrij de avond volmaakt, drinkt de rest naar eer en geweten. De Bob-campagne heeft een bedreiging in een opportuniteit omgetoverd en versterkt het imago van de Heinekens en Interbrews van deze wereld door het benadrukken van het sociale verantwoordelijkheidsgevoel. Bier en Bob, het zijn geen antagonisten, maar samenwerkende protagonisten.

Een plezierreis in onzekerheid

Kijk, we moeten allemaal met onzekerheid kunnen leven, alhoewel sommige ondernemers zich kenmerken door het doodanalyseren van mogelijkheden en het risico proberen te reduceren naar nul, een verwijt dat ambtenaren vaak horen. Een aardig geval van de pot verwijt de ketel…

Een weg die u kunt volgen is die van het zogenaamde *scenariomanagement.* U kunt daarmee verschillende gezichtspunten onderzoeken, en niet kapitaliseren op één enkel idee dat u in een maagstormsessie in een sterrenrestaurant hebt gecreëerd. In het scenariomanagement gaat u ervan uit dat uw organisatie een complex systeem is, divers en dynamisch in ondernemersopzicht. Bent u het ook niet met de stelling eens dat het moeilijker wordt de toekomst te voorspellen? En is het wel zo'n geweldig idee uit te gaan van één voorspelbare toekomst? Daarnaast gaat u enkele potentieel succesrijke opties zoeken, en die dienen dan voor het ontwikkelen en implementeren van visionaire strategieën.[16]

Wat gebeurt er vaak tijdens de ons zo welbekende strategische sessies? Laten we eens enkele waarschijnlijkheden formuleren: een rondje langs 9 of 18 holes: misschien; enkele dagen in een mooie omgeving: dat gaat erop lijken; culinaire uitspattingen: die kans is veel groter; een lijstje met bulletpoints creëren: nou, dat komt toch dicht bij de 100 procent, zo is onze ervaring. Het probleem met zo'n lijstje punten is dat we meestal zien dat er een platonische relatie bestaat tussen deze punten en de mensen die ze bedenken. Men kijkt ernaar, en er gebeurt niets.

Doe uzelf een groot plezier: baseer uw strategie op feiten, en niet zozeer op wat een groepje managers tijdens de lunch te berde brengt. Zonder harde feiten bouwt u uw analyses op drijfzand. Met andere woorden: wees beducht voor het ontbreken van kwaliteit in uw analyses. Voor u het weet, wordt het erg moeilijk om enige kwaliteit te ontdekken in het eindresultaat. We weten dat het vaak lastig is de goedbedoelde analyses en vragen van uw collega's af te weren. Voor veel managers, zo liet Francis Dejonghe van De Witte Lietaer ons weten, is 'nee' een heel moeilijk antwoord om te geven.

Wegwijzers

1. Een goede STEP-analyse verschaft u inzicht in relevante trends.
2. Een bedreiging is een opportuniteit die u niet tijdig hebt ingeschat.
3. Een vijfkrachtenanalyse verschaft u waardevolle inzichten in uw industrietak.
4. U kunt uw positie versterken door samen te werken.
5. Er is geen kristallen bol die u zekerheid verschaft over de toekomst: een scenarioanalyse is vereist.

HOOFDSTUK 5

Begrijp de inboorlingen

Begrip van uw klanten

'Mijn fans zijn mijn helden.'

Brainpower

Enig idee in welke bedrijfstak Manchester United opereert? Uw eerste antwoord is wellicht: dat is een Engelse voetbalclub! Ietwat cynischer zou u kunnen stellen dat Man U tracht kapitaal te genereren voor de aandeelhouders. Welnu, de trots van Engelands voetbalhistorie werkt in wat we noemen de 'ontsnappingsbusiness'. Iedereen, van hoog tot laag, komt naar Old Trafford om te ontsnappen aan het leven van alledag. En de club is niet eens zo'n groot bedrijf, met ruim 500 fulltime medewerkers en een omzet van £ 130 miljoen. Er zijn wel 50 miljoen fans over de hele wereld! Klein bedrijf, maar met een sterk merk. Wat zij in hun bedrijfstak beter doen dan anderen, is het leveren van een complete ervaring, van voedsel tot voetbal.[17] Met andere woorden: het lijkt erop dat Manchester United inderdaad de klanten levert wat het verkoopt! Zij maken dus hun belofte waar.

Hoe zit het bij uw organisatie? Laten we beginnen met een wel erg basale vraag. Wie is uw klant?

Goed, uw vijf seconden zijn voorbij.

Nee, het is waarschijnlijk niet degene die uw rekeningen betaalt. Hier is er nog een: waarom kopen ze de spullen die ze kopen? Nee, niet omdat het er nou eenmaal is. En nog een andere: waarom zouden ze het bij u kopen? Kunt u de drie meest dwingende redenen noemen waarom ze kopen? En weet u hoe ze beslissen om te kopen? Met andere woorden: ziet u hoe, wanneer en waar u hun koopproces kunt beïnvloeden?

Gissen of beslissen

Iedere klant neemt een groot aantal beslissingen.[18] Hoe iets te verkrijgen, te gebruiken en weg te doen? En een aardig aantal W's en

H's zijn hierbij belangrijk: wel of niet kopen (gebruiken, wegdoen), wat, waarom, wanneer, waar, en natuurlijk hoe, hoeveel, hoe vaak, en hoe lang. Beslissingen, beslissingen... over producten, diensten, tijd en ideeën. Bovendien vervullen we allemaal één of meerdere rollen op hetzelfde moment: gebruiken we de nieuwe aankoop ook daadwerkelijk, of betalen we er alleen maar voor, zoals voor een computerspelletje voor de kinderen? Hebben we iets te zeggen over welk computerspel er gekocht wordt, kunnen we de beslissing beïnvloeden, of zijn wij degenen die de benodigde informatie vergaren over beschikbare computerspelletjes zodat de kinderen zelf kunnen beslissen?

Laten we de factor tijd niet vergeten: heeft de beslissing betrekking op seconden (het kiezen tussen een BigMac of een groenteburger), minuten (gaan we voor de Mac of gaan we naar die snackbar verderop), uren (een nieuwe garderobe), dagen (een vakantiebestemming), weken (een betere vakantie), maanden (auto's, ten minste voor een van de auteurs) of jaren (voor een nieuw huis – ja, voor dezelfde auteur)?

Wanneer we naar deze beschrijving kijken, krijgt u misschien het idee dat het beslissingsproces van een klant complex is. En dat het moeilijk te beïnvloeden zal zijn. Het antwoord is in beide gevallen: ja. En dat is omdat beslissingen, en de processen die ertoe leiden, verschillende betekenissen hebben voor verschillende klanten in verschillende situaties. We moeten echt onderscheid maken tussen een aantal typen klanten, en daarom ook tussen een aantal typen klantbeslissingsprocessen. Het maakt bijvoorbeeld uit of u een individu bent dat voor een huishouden koopt (wordt het pasta of gaan we uiteten) of voor een organisatie (het kopen van de juiste hoeveelheid en variëteit aan koffie en thee voor het bedrijfsrestaurant).

En de zaken worden nog complexer wanneer het geen individu is die de aankopen doet, maar een groep.[19] Kijk eens naar uw eigen gezin – sommige gezinnen nemen als groep beslissingen (dan ziet u waarom democratieën niet goed kunnen werken). Voor complexe of grote investeringen richten bedrijven zogenaamde koopcentra in, om de kansen op een succesvolle aankoop te vergroten. Al deze verschillende beslissingseenheden hebben een verschillende strategie nodig wilt u deze kunnen beïnvloeden.

Waarom kopen individuen en organisaties producten en diensten? Dit is een relevante vraag. Maar in essentie zijn producten en diensten niet belangrijk. Wat belangrijk is, is herkennen wat producten en diensten *doen* voor onze klanten. Het komt erop neer dat we door producten en diensten te gebruiken een ongewenste situatie (honger hebben) veranderen in een gewenste situatie (genoeg gegeten hebben en zich lekker voelen). Maar het hoeft niet allemaal zo prozaïsch of functioneel te zijn, er zijn ook andere soorten behoeften. Middelbareschoolkinderen tonen aan dat ze tot de club van hippe mensen behoren door hun mobieltjes duidelijk te laten zien en te gebruiken – of, zoals ze op de middelbare school van een van onze kinderen genoemd worden: 'Nokia's.' Dit is geen merk dat een generieke naam is geworden voor een hele productcategorie. Voor deze kinderen is dit hét merk, een symbool waarmee je laat zien dat je 'erbij' hoort. En wanneer u een volwassene bent, worden andere typen behoeften belangrijk. Naar het theater gaan, een restaurant bezoeken, een Bruce Springsteen-concert bijwonen zijn duidelijke voorbeelden van wat we ervaringen noemen.[20]

Er is een verschil in de manier waarop we zulke producten en diensten kopen. Het hangt allemaal af van hoe verschillend de klanten de merken vinden die ze overwegen te kopen, en hoe belangrijk een product of dienst voor hen is. Een van de auteurs beweert dat hij geen verschil proeft tussen de verschillende merken Nederlandse pils, zeker wanneer zij goed gekoeld zijn. En hij staat nogal onverschillig tegenover dit soort bier. Dus is zijn koopgedrag wat wij noemen gebaseerd op gewoonte – als hij bier koopt, koopt hij het merk dat in de aanbieding is in de supermarkt. Aan de andere kant vindt hij autorijden en erover lezen een leuke bezigheid en vindt hij dat er significante verschillen zijn tussen de merken. Daarom heeft hij weer een Volvo gekocht (na zijn eerste total loss te hebben gereden, en op deze manier door ervaring overtuigd geraakt te zijn van de veiligheidsstandaarden van het merk).

Het is belangrijk te weten hoe klanten het koopproces beleven wanneer ze voor producten die door u worden aangeboden gaan winkelen. Deze kennis geeft u de mogelijkheid om hen de meest dwingende redenen te geven om te kopen – concurrentievoordelen verschillen daadwerkelijk voor verschillende segmenten. Wanneer we onze aankopen doen, proberen we te plannen – wij denken dat de meeste huishoudens en bedrijven dit proberen te doen. Maar bij bijna de helft van de beslissingen eindigen we met producten waarvan de aankoop niet gepland was. Dit laat óf zien dat ons geheugen pas begint te werken op het moment dat we de supermarkt binnengaan, óf dat er iets gebeurt in die supermarkt dat maakt dat we spullen kopen die we niet van plan waren te kopen. Gebeurt constant, bij de meesten van ons. Zeker wanneer het tussendoortjes betreft – meestal zetten ze deze vlak bij de kassa neer, of ze verkopen ze onderweg van uw trein naar de bus. Volop mogelijkheden om in een impuls aankopen te doen. Voor een bekend zoetwarenbedrijf in Nederland zijn de impulsproducten een van de best verkopende productgroepen. Het is dus niet verwonderlijk dat hun nieuwe strategie gericht is op de behoefte van mensen om 'in een impuls' te kopen en dit in hun winkels te faciliteren.

Markante merken

Het is niet zo dat we gedachteloos onze aankopen doen. Wel laat het de macht van 'merken ten opzichte van gedachten' zien. Merknamen, logo's, verpakkingen, geluiden: allemaal hebben ze een duidelijke functie in het activeren van ons geheugen over het merk – ze laten ons herkennen wat er zich in het ons omringende gezichtsveld bevindt, zelfs wanneer we niet helemaal wakker zijn of op drie ontzettend levendige jongetjes moeten letten terwijl we de wekelijk-se boodschappen doen. Typerend is dat we in dit soort situaties, wanneer het brein ofwel niet werkt of heel druk is, wel de merken herkennen. En dan herinneren we ons misschien de merken, en als gevolg hiervan dat we geen bier, snacks of andere lekkernijen meer hebben. De belangrijkste boodschap: geen herkenning, geen herinnering. Volgens deze redenering weten we niet zeker of het hebben van 'no logos' een merk helpt.

Het merk, of marketingcommunicatie in het algemeen, heeft meerdere rollen. Een ervan is het creëren van het besef dat klanten een bepaald product of een bepaalde dienst nodig hebben om hun leven aangenamer te maken. Wie had bijvoorbeeld gedacht dat het erg handig zou zijn om al uw adressen en uw agenda overal mee naartoe te nemen in elektronische vorm? Wie heeft er tegenwoordig geen *personal digital assistant*? Binnen een bepaalde categorie wilt u uw klanten bewust maken van uw merk – ze zouden het merk moeten herkennen in de winkel of het zich herinneren wanneer ze van plan zijn een aankoop te doen. Nou, Palm heeft het zeker voor elkaar gekregen door tegenwoordig de standaardnaam te zijn voor draagbare organizers.

Klanten opvoeden

Communicatie draagt er ook toe bij dat klanten een positieve houding aannemen ten opzichte van het product of de dienst. En op dit gebied wil de concurrentie een graantje meepikken. U wilt een organizer? Hier is er een met een ingebouwde telefoon – de Nokia Communicator. U wilt toegang tot het net? Probeer de Palm VII. Als alles goed gaat, willen potentiële klanten echt uw product kopen. Deze intentie kan veranderen wanneer we de klant niet helpen – intenties hoeven niet altijd te leiden tot een aankoop, zoals wanneer anderen grapjes maken over de nieuwe kleur die u in gedachten had voor uw auto, of wanneer de potentiële klant uw product niet kan kopen. Een product kan niet voorradig zijn (een gegarandeerde manier om de klant van gedachten te laten veranderen), of een klant kan 'tijdelijk wat cash flow-probleempjes' hebben. Hoe kunnen we dan de aankoop vergemakkelijken? Bijvoorbeeld door het aanbieden van financiële diensten zoals een financieringsplan. Genoeg Europese autofabrikanten bieden aantrekkelijke overeenkomsten aan: koop nu, betaal later. Het is goed dat de kwaliteit van hun producten de laatste jaren is gestegen!

Klanten zijn niet allemaal gelijk. Europa is een grote markt – groter dan de VS in termen van individuen die er leven. En het is een diverse markt – hoewel er een gezamenlijke munteenheid is in twaalf landen, zijn de verschillen groot. Neem bijvoorbeeld het fenomeen lunch. Terwijl de Nederlanders gemiddeld al tevreden zijn met hun broodje kaas en een glas karnemelk, prefereren hun Belgische tegenhangers een warme maaltijd met een beetje wijn of een pilsje. Misschien verklaart dit voor een deel de schizofrenie van de auteurs: we hebben oprecht de wens om te werken in Nederland, maar uiteten te gaan in België. Op dit moment durven we niet eens te denken aan een Italiaanse lunch – ons idee van een ideaal leven. Het kennen van het beslissingproces van uw klanten is één ding. We weten allemaal dat klanten, net als wijzelf, leven in een altijd veranderende omgeving. Een analyse van de omgeving zou altijd een vooruitzicht moeten bevatten over hoe klanten, bedrijven én consumenten, veranderen. Elke verandering kan een kans zijn voor uw bedrijf of een bedreiging. In beide gevallen is het verstandig uzelf voor te bereiden.

Je overal thuis voelen

Binnen de Europese unie bestaan er duidelijk verschillen tussen en binnen landen. Italië bijvoorbeeld heeft een rijk noordelijk gedeelte en een minder welvarend zuidelijk deel. Designkleding die makkelijk verkoopt in Milaan zou het op Sicilië minder goed doen – niet omdat ze daar een slechtere smaak hebben, maar ze hebben het geld niet om aan hun vraag te voldoen. De inkomensverdeling van een land of een regio is van invloed op alle bedrijven: Hebt u te maken met 'spaarzamen', klanten die voorzichtig moeten of willen zijn met wat ze uitgeven? Of zijn ze meer georiënteerd op gemak, geld uitwisselend voor tijd? Omdat steeds meer vrouwen, traditioneel de spil van het gezin, de arbeidsmarkt betreden, grijpt een retailer als Albert Heijn de kans om hoge kwaliteit 'kant-en-klare' maaltijden aan te bieden tegen prijzen die gericht zijn op het bovenste segment van de markt. (Toegegeven, het spul is lekker!)

Het feit dat klanten tegenwoordig ook een goede service verwachten wanneer ze producten kopen maakt het leven ook nog eens complexer voor traditionele fabrikanten. Wie koopt er tegenwoordig nog een auto zonder volledige garantie voor meerdere jaren? Auto's zijn betrouwbaarder geworden, en daarom verwachten we dat ze het langer blijven doen, en beter. Gegeven de prijs van nieuwe auto's vandaag de dag, en de aantallen waarin ze verkopen, zijn we blijkbaar bereid het benodigde bedrag neer te tellen! Autofabrikanten geven deze trend goed weer, met als markant voorbeeld General Motors. Ze verdienen vaak meer met het verstrekken van de financiering voor hun auto's dan met de auto's zelf! Dit is een andere kijk op de vraag, 'In welke bedrijfstak opereren we?'

Wegwijzers

1. Uw klant is degene die uw aanbod koopt, gebruikt of het koopproces beïnvloedt – u hebt dus verscheidene klanten op hetzelfde moment.
2. Het beslissingsproces van de klant is vaak complex – maar wel te beïnvloeden.

3. In essentie zijn diensten en producten niet interessant. Het gaat erom wat uw dienst of product voor uw klanten doet.

4. Merken maken consumptie makkelijker.

5. Er is geen Europese eenheidsmarkt – er zijn onderscheiden segmenten, die om andere diensten en producten vragen.

HOOFDSTUK 6

Namen noemen

Marktsegmentatie

'In onze warenhuizen vind je meer voeding voor honden en katten dan voor senioren.'

Bob Bilsen

In de koningin der Vlaamse badsteden, Oostende, bevindt zich het Thermae Palace. Een sterrenhotel met historische allures, waar ook Rob de Nijs graag vertoeft. Een tiental jaren geleden organiseerde de vooraanstaande Vlerick School voor Management daar, naar jaarlijkse traditie, het *middle management programma*. De huidige Vlaamse manager van het jaar, Jef Colruyt, was een van de deelnemers.

Toen een deelnemer, de directeur van een omvangrijke business unit, zijn plastic sleutelkaart brak, bracht hij die terug naar de receptie met de melding: 'Excuseer me, mevrouw, maar ik heb de sleutel gebroken.' Waarop de receptioniste repliceerde, op een toon die aan duidelijkheid niets te wensen overliet: 'Dat is nou eens écht stom, meneer!'

Nou zijn West-Vlamingen niet altijd even diplomatisch in hun handelen. Een van de auteurs is het levende bewijs hiervan. Maar vereist het niet een veertiendaags intensief en individueel begeleid trainingsprogramma bij Youp van 't Hek om ad rem een dergelijke afblaffing te verzinnen?

Niet echt. Je doet alleen wat Thermae Palace indertijd deed. Tijdens de barre wintermaanden verhuur je de bovenverdieping aan de oudere bourgeoisie, die daar komt overwinteren. Een hotelbediende formuleerde het indertijd als volgt: 'Senioren vergeten makkelijker, en bij een herhaald voorkomen veroorzaakt dit een goedbedoelde, maar berispende attitude van de medewerkers.' Op een bepaald ogenblik wordt diezelfde receptioniste echter geconfronteerd met een in eerste opzicht identieke situatie, en neemt ze dezelfde berispende attitude aan. Deze keer is het echter een ander segment. Dit is een proces dat Mintzberg omschrijft als *'pigeonholing'*. De receptioniste was *geconditioneerd*.

Ongeletterde woordenkramerij

Iedere onderneming heeft expliciet dan wel impliciet A-klanten (een selectieve club grote klanten aan de top van de piramide), B-klanten (een aantal middelgrote klanten halverwege de piramide) en C-klanten (de vele kleine klanten onder aan de piramide).

'ABC': de alfabetiseringsgraad is waarlijk hoog in de bedrijfseconomie. In een modieus marketingjasje worden de klantenpiramides her en der opgetrokken. Menig ondernemingsplan vertoont een gevarieerder reliëf dan de vallei der koningen in Gizeh.

Noch A, noch B, noch C heeft op zich ooit een factuur betaald. Toch is 'segment' een standaardbegrip in marketing, net als debet en credit standaardbegrippen vormen in de accountancy. Een segment wordt gevormd door een groep van individuen (consumentenmarketing) of organisaties (business-to-businessmarketing), die een of meer gelijke kenmerken vertonen, waardoor ze vergelijkbare behoeften hebben.

Ondernemingen zullen verschillende waardeproposities ontwikkelen en middelen toewijzen aan deze doelgroepen. Ze kunnen er zelfs voor kiezen om bepaalde segmenten te negeren. Zo laat het biermerk Jupiler ongeveer 50 procent van de bevolking links liggen: *'Mannen weten waarom'*, luidt de slogan. Vrouwen beseffen het waarschijnlijk ook. Maar het geeft Interbrew de gelegenheid om te focussen op dat deel van de bevolking dat instaat voor het leeuwendeel van de bierconsumptie. Ondertussen verhoogt Interbrew de efficiëntie van de reclame door te kiezen voor die tv-programma's waar de bierdrinkende Belg de meeste kans maakt om gevonden te worden. Voetbal vormt een evidente keuze.

Jupiler maakt een pragmatische en effectieve segmentatie. Deze staat in schril contrast met het hoge gebakkenluchtgehalte in de FMCG-sector.

Ook de uitgevers- en de mediawereld bulken van de voorbeelden waar samen met het drukproces ook het commerciële denken *off set* schijnt te geschieden. Kanaal 2 en VT4 werden op de Vlaamse markt gelanceerd om de *'unserved audience'* te bereiken. Het profiel van de *Humo*-lezer, wisten insiders trots te melden. Dit segment was blijkbaar niet onder de indruk van de klantwaardepropositie en bleek zo goed als onbereikbaar. De programmering werd omgegooid in de richting van een pretnet. Ook Bonanza zocht het *Humo*-publiek op, Punt daarentegen zocht de liberale intellectueel op. Na een kortstondige romance werd in beide gevallen de redactionele staf lay-outkopzorgen bespaard door een algehele lay off. In de Vlaamse wereld van de softblootbladen dringen zich harde beslissingen op: met drie gelijkwaardige bladen (*Ché, Menzo* en *P-magazine*) lijkt een verzadiging op te treden in de vervulling van 's mans verborgen verlangens.

Blitse segmentaties, waar slechts een *Encyclopedia Britannica* je verder kan helpen doorheen de psychologische blabla, verhogen niet de *bereikbaarheid* van het segment.

De marketinghandboeken puilen uit van allerhande voorbeelden hoe men de markt kan segmenteren. In consumentenmarkten[21] hanteert men vaak geografische, demografische, psychografische of gedragsmatige variabelen. De Vlaamse socialistische partij, SP.A, adopteerde Spirit-politicus Bert Anciaux om de jongeren te bereiken. 'Onze partij was te oud. Met het kartel willen we de barrière naar de jongere generatie doorbreken en de idee van solidariteit doorgeven,' licht SP.A-voorman Johan Vande Lanotte de demografische insteek toe.

In industriële markten opteert men vaak voor een tweestapssegmentatie. De macrosegmentatie leidt tot grote segmenten, voornamelijk gebaseerd op het demografische en sectoriële klantenprofiel. In een tweede fase wordt een microsegmentatie doorgevoerd, waarbij deze macrosegmenten verder worden opgesplitst op basis van de structuur van de DMU ('decision making unit') van de afnemers. Meer en meer worden progressieve segmentatiecriteria gehanteerd, zoals applicatie, klantencompetenties, gebruikssituatie, loyaliteit, of de contributie tot de winstgevendheid[22].

De vraag 'wie is mijn klant?' (hoofdstuk 3) is hier serieus aan de orde. Wie is de klant van een radioprogramma dat de werkvloer aanspreekt: de individuele luisteraar of de onderneming? *Klant is koning* (Vlaanderen) en *Arbeidsvitaminen* (Nederland) vereisen luisteraars om geconsumeerd te worden, en vereisen organisatorische goedkeuring om gehoord te worden.

Het sop, de kool, en de bereiding

Een goed segmentatiecriterium stelt de marketeer in staat *meetbare* segmenten te definiëren. Onmeetbaarheid geeft aanleiding tot disfunctionele dagdromerij. 'Dit is tot op heden een beperkt segment dat sterk groeit, en waar de concurrentie nog niet aanwezig is.' Dergelijke inhoudsloze algemeenheden behoren tot het vocaal collectief van menig strategiesessie. Wat is een 'beperkt' segment? Wat verstaat u onder een 'sterke' groei? Doelmatige marketing vereist feiten. Opinies gedijen beter in een parlementaire vergaderzaal of in de lezersrubriek van een krant.

Segmenten moeten *substantieel* zijn. Het sop moet met andere woorden de kool waard zijn. 'Als je een ziekte hebt, dan kun je het best hopen dat het een populaire ziekte is', wist Dr. Paul Janssen, oprichter van Janssen Pharmaceutica. De ontwikkelingskosten verbonden aan nieuwe geneesmiddelen zijn zo hoog, dat een te kleine 'klantenkring' commercieel niet lonend is.

Trendy concepten als *one-to-one* en *micromarketing* maken volgens menig marketeer tabula rasa met het archaïsche segmentatiegedoe. Informatie- en communicatietechnologieën maken een één-op-éénrelatie mogelijk. Maar zelfs een internetpionier en grootheid als het Amerikaanse AOL (America On-Line) onderkent duidelijk segmenten en legt zich nu ook toe op het commercieel aantrekkelijke segment van het midden- en kleinbedrijf.

Overigens is, ironisch beschouwd, één-op-éénmarketing minder nieuw dan menig consultant verkondigt. Industriële bedrijven hanteren immers sowieso een één-op-éénbenadering. Niet vanwege een bewuste keuze. Gewoon omdat de verkoopmentaliteit overheerst, en ze iedere klant de facto als een unicum benaderen...

Segmentatie is maatwerk

Een goede segmentatie bemoeilijkt niet de commerciële strategie. Integendeel, ze maakt de adequate uitvoering ervan mogelijk!

Segmentatie stelt u in staat te ageren op trends in de afzonderlijke segmenten. U kunt eveneens concurrentie vermijden door een segmentoriëntatie. Porsche concurreert heel wat minder met Mercedes dan het land van herkomst, het prijskaartje en de pk's doen vermoeden.

Er zijn eveneens nadelen aan een consequente segmentatie verbonden. Het kan op de korte termijn duurder zijn. Zo zal misschien de verkoopploeg gespecialiseerd dienen te worden. Een Lexus verkopen is iets anders dan een Toyota. Ook al horen beide tot hetzelfde moederhuis, dit zijn kinderen die een aparte opleiding vereisen.

We vragen ons ook af hoe een Mercedes-dealer een Smart aan de man brengt. 'Street Smart' is niet direct een karaktertrek die bij ons opkomt wanneer we een succesvolle Mercedes-verkoper voor de geest roepen. Niettemin is deze 'rolstoel met een dak' (dixit Geert Hoste) in een aantal Europese steden wel een succes. De Italiaanse *Smartisti* stellen het compacte karakter van het autootje in het drukke Rome erg op prijs.

Een sterke segmentatie maakt ondernemingen soms blind voor de buitenwereld. Een sluwe segmentatie verschaft concurrenten de mogelijkheid de spelregels in de markt te veranderen. Wat een goede segmentatie is voor één onderneming, is dit niet per se voor een andere! Andere spelers kunnen, naar gelang hun strategie, andere spelregels hanteren. Sony lanceerde eind de jaren tachtig een 'Superdata'-projector, die de grenzen tussen het 'data'- (midden) en het 'graphics'-(top)segment in de projectorindustrie dreigde te elimineren, met een dramatische terugval voor marktleider Barco als gevolg. De toenmalige COO van Barco, Erik De Jonghe, becommentarieerde het als volgt: 'Al onze voorspellingen waren evenwel gebaseerd op de aanname dat Sony onze visie van de markt zou respecteren'[23]. De marktsegmentatie in naar omvang beperkte marktniches door Barco sloot niet aan bij de strategie van schaalvoordelen die Sony nastreefde. En dus veranderde Sony de spelregels in de markt.

Marksegmentatie is een strategisch proces. Voor veel managers is het echter slechts een statistische oefening die zich beperkt tot hun eigen gedachtewereld, en een eenmalige PowerPoint-presentatie in de lokale vergaderruimte. Marketingplannen bulken vaak van de kleurrijke taartdiagrammen die even zoveel opsplitsingen van de markt weergeven. Segmentatie is echter geen rekenkundige oefening op zich, maar een opsplitsing van de markt in strategisch interessante klantenclusters. Een onderscheid tussen grote, middelgrote en kleine klanten zet geen zoden aan de dijk indien naderhand alle klanten door hetzelfde keurslijf getrokken worden. Dus: durf te differentiëren!

Een goede segmentatie stelt de onderneming in staat de klantwaardepropositie te *differentiëren*. Een segmentatie is geen rekenkundige opdeling van de markt. Het stelt de onderneming in staat actie te ondernemen en het aanbod te differentiëren voor de diverse doelgroepen.

De zanger (?) van het verfoeilijke *De Pizzadans* stelde dat het recept voor hun succes eenvoudig was. Ze bepalen een doelgroep en ontwikkelen een product voor die doelgroep. Sommigen kunnen beter nooit de basisprincipes van marketing onder de knie krijgen, zo dunkt ons.

Een segmentatie zonder strategische vertaalslag is niets minder, en zeker niets meer dan een rekensommetje. Toegegeven, met een leuke presentatie en begeleidende muziek van Tina Turners *Simply the best*, oogt het best aantrekkelijk. Maar zodra de vergadering voorbij is, gaat men terug naar de realiteit: *one size fits all*! Dit is gevaarlijk gedrag, zoals het inleidende voorbeeld van Thermae Palace aangaf. Indien u uw betere klanten behandelt als de andere klanten, zoeken zij een andere leverancier. Orwell parafraserend kunnen we besluiten dat alle klanten gelijk zijn, maar sommigen zijn gelijker dan anderen. Waarom ontvangen trouwe abonnees van tijdschriften hun leesplezier later dan diegenen die het kopen in de krantenwinkel?

De vergeten hoeken van de markt

Voormalig UFSIA-professor Bob Bilsen merkte twee decennia geleden reeds op dat er in de warenhuizen meer voeding voor honden en katten te vinden is dan voor senioren. Bob behoort ondertussen zelf tot dit segment, en kan eigenhandig vaststellen dat dit nog immer zo is.

Dergelijke zaken beperken zich niet tot de voedingsmarkt. De mobiele telefoon is duidelijk gericht op het jongerensegment in de markt. Scholieren scoren misschien minder dan vroeger in talen, maar het Finse Nokia is een soepel uitspreekbaar begrip geworden. Veel mobieltjes zijn niettemin ongeschikt voor gebruik door senioren. Voor velen onder hen is een mobiele telefoon het equivalent van een verplaatsbare telefoon. Voor de generatie die zich de goede oude tijd kan herinneren zijn voicemail-berichten een last. Dergelijke berichten laten je mobieltje op de meest gekke ogenblikken onverklaarbare nevengeluiden produceren. En SMS, staat dit niet voor 'Stoppen Met Schrijven'?

Gaan veel marketeers er voor het gemak niet van uit dat senioren de diverse *features* van een mobiel met dezelfde alertheid en vingervlugheid beroeren als jongeren? Diezelfde marketeers moeten hun ouders echter helpen om eind oktober de videorecorder, de radiowekker of het kwartshorloge op de wintertijd te zetten. Afgrijselijk! Ethisch beschouwd negeert men een volledige bevolkingsgroep. Commercieel beschouwd laat men een belangrijke kans liggen.

Een creatieve aanpak van het segmentatievraagstuk is uitermate lonend, zo bewijzen *De Telegraaf* (Nederland) en *Het Laatste Nieuws* (Vlaanderen). Dit zijn niet de kranten die bij academici en intelligentsia hoog zullen scoren. Overigens is er niet noodzakelijk een overlap tussen deze twee doelgroepen... Tijdens de kommerloze zomermaanden genieten veel collega's echter met groot genoegen van de lekker smeuïge verhalen in deze kranten. De ogenschijnlijke taal- en stijlfouten worden dan ineens als minder storend ervaren. Inhoudelijk wensen we geen uitspraak te doen over beide kranten, maar voor de marketing kunnen we de grootste bewondering opbrengen.

Het middelpunt is geen hoogtepunt

Geconfronteerd met de verschuivingen van het landbouwbedrijf naar andere sectoren, stellen de bankdirecteuren van een Nederlandse bank vast dat de huidige segmentatie hen niet in staat stelt optimaal in te spelen op deze trend. Een aantal bankdirecteuren ontwijkt de bedrijfsstrategie en kiest resoluut voor een eigen benadering. Eén bankdirecteur verwoordt het als volgt: 'In de praktijk ondervinden we niet te veel hinder van de segmentatie die gehanteerd wordt door onze bank.' Voor alle duidelijkheid: een segmentatie is bedoeld om business mogelijk te maken, niet om die te hinderen!

Een Zweeds loonwerkersbedrijf segmenteert naar verluidt de landbouwbedrijven op basis van de bevolkingsdichtheid, en niet, zoals gebruikelijk, op basis van de grootte van het landbouwbedrijf.

De reden? Landbouwers in de afgelegen gebieden van Zweden zijn gedurende de koude, eenzame wintermaanden verstoken van sociaal contact. Alhoewel efficiëntie altijd gewaardeerd wordt bij landbouwers, kun je in dergelijk barre omgevingen beter loonwerkers inzetten die tijd reserveren voor een gezellige babbel met de heer en vrouw des huizes. Landbouwbedrijven in dichtbevolkte regio's in het zuiden waarderen juist weer meer de pure efficiëntie van een loonwerker.

Een externe segmentatie moet, zeker in de dienstverlening, gevolgd worden door een interne differentiatie van het personeel! Het personeel dat het klantencontact verzorgt in een intensieve dienstenbranche kan zich niet *hic et nunc* aanpassen aan klanten uit totaal verschillende doelgroepen. We verwachten veel van dergelijke medewerkers, maar het zijn geen instant kameleons. Zij kunnen niet, variërend met de doelgroep, hun gezicht en hun stijl met de flair van Robert de Niro van het ene moment op het andere in een andere plooi leggen.

Hoewel Jean Claude Vandamme, alias 'the muscles from Brussels', naar alle normen geen begenadigd acteur is, is hij een betere acteur dan de meesten van ons. Niettemin is hij er na vele jaren nog niet in geslaagd als karakteracteur erkend te worden. Zelfs indien hij het decor niet afbreekt, slaagt hij er niet in om de spreekwoordelijke meubels te redden. Hoe kan dan een receptioniste in een hotel het onderscheid maken tussen een alerte manager en een genietende senior?

Het ontwikkelen van een waardepropositie op basis van de gemiddelde behoeften garandeert een verkeerde entree in de markt. Alles voor iedereen resulteert in een leeg gevoel voor velen. Zo zijn veel hoogleraren absoluut ongeschikt om aan bedrijfsmensen les te geven. Het mag dan wel dezelfde stof betreffen, er zit duidelijk een andere doelgroep in de zaal. Sommige collega's halen voor de managersdoelgroep hooghartig de neus op. Een rector van een Vlaamse universiteit stelde ooit smalend in een volle faculteitsraad

dat men enkel 'blabla' dient toe te voegen aan de universitaire leer-
stof om voor bedrijfsmensen te scoren. De realiteit is echter complexer dan dit soort erudiete nonsens.

Wegwijzers

1. Een goede segmentatie helpt je te concurreren in de markt door
    een goede differentiatie van het aanbod.
2. Een goede segmentatie is praktisch en resulteert in meetbare,
    substantiële, bereikbare doelgroepen.
3. Externe marktsegmentatie vereist interne organisatorische dif-
    ferentiatie.
4. Het is moeilijk scoren op basis van een gemiddelde oplossing.
5. Een vernieuwende segmentatie biedt de mogelijkheid om de
    spelregels te veranderen.

HOOFDSTUK 7

Jachtgronden afbakenen

Portfolioanalyse

'Mijn grootste fout is dat ik geen nee kan zeggen.'

Sir Richard Branson

Het is een gekke wereld! Volgens Mobile Streams verzonden de Europeanen dagelijks gemiddeld 860 miljoen SMS-berichten begin 2002. In het Verenigd Koninkrijk alleen al werden gedurende de maand juni 2002 één miljard SMS-berichten verstuurd. Een studie van de HPI Research Group concludeert dat 8 procent van de Singaporeanen tussen 16 en 45 jaar die over een mobieltje beschikken, minstens eenmaal per dag een SMS verstuurt. Het gemiddelde bedraagt 47 SMS-berichten per week. *SMS? Singapore Meets Singapore!*

De verdienste van de mobiele-telefoonindustrie in de creatie van deze markt is beperkt. Hun aandacht ging uit naar de Derde Generatie, maar het is het eenvoudige *'Schrijven Met Stijl'* van de huidige generatie dat instaat voor 10 procent van de mobiele inkomsten. De opkomende MMS-hype (*'Multimedia Messaging System'*) kan verder de UMTS-kater helpen verteren.

Net als de mobiele operatoren gebruiken veel ondernemingen een portfolioanalyse om inzicht te verkrijgen in hun *'product-markt-combinaties'*. Evenzeer komen ook zij vaak tot de conclusie dat de winsten behaald werden daar waar ze niet verwacht werden, en de verliezen gerealiseerd daar waar men zich verzekerd wist van de winst. In ogenschijnlijk kansrijke markten is men minder gedoemd om te slagen dan men verwacht.

Strikt genomen kan men strategische marketing vergelijken met het afbakenen van een jachtterrein (*'where to compete?'*) en het implementeren van een jachtstrategie (*'how to compete?'*). Het tweede vraagstuk wordt in het volgende hoofdstuk behandeld.

In dit hoofdstuk gaan we dieper in op de afbakening van het jachtterrein. Een portfolioanalyse ondersteunt grafisch en analytisch een dergelijke afbakening. Deze methode kunt u gebruiken om productlijnen, marktsegmenten of klantengroepen in kaart te brengen.

De portfolioanalyse stelt de onderneming in staat doelstellingen, strategie en middelen voor elke bedrijfseenheid te bepalen[24].

Dat is de theorie. Zonder enige twijfel vormt portfolioanalyse een uitermate nuttige methode. Zij houdt wel hoge risico's in wanneer men zich geen rekenschap geeft van haar beperkingen.

Het is tijd om aandacht te besteden aan de afbakening van de jachtterreinen!

Een eenvoudig recept

Laat ons het portfoliodenken illustreren aan de hand van het centrale bedrijfsniveau in dit boek, de strategische bedrijfseenheid (SBE). We beschouwen de diverse strategische bedrijfseenheden van een onderneming. Een strategische bedrijfseenheid heeft de volgende kenmerken: zij heeft een eigen doelstelling, produceert en verdeelt bepaalde producten en diensten, voor een bepaalde groep klanten, waarbij ze in concurrentie staat met andere ondernemingen. De facto kan een SBE bepaald worden aan de hand van de drie dimensies die we in hoofdstuk 3 hebben toegelicht (klantengroepen, klantenfuncties, competenties). In de Nederlandse literatuur spreekt men gemakshalve van product-marktcombinaties (PMC's).

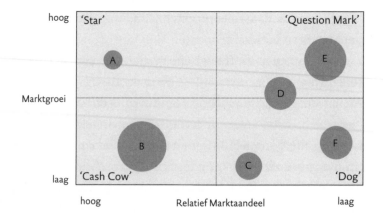

Er bestaat een divers spectrum aan portfoliomodellen om de bedrijfseenheden van een onderneming in kaart te brengen[25]. Om dit toe te lichten, hanteren we het recept van de Boston Consulting Group, de zogenaamde BCG-matrix.

De diverse kookrecepten zijn commercieel uitgekookt, maar methodologisch vergelijkbaar en weinig verheffend. Telkens geeft één dimensie de *marktaantrekkelijkheid* weer, en de andere dimensie de *bedrijfssterkte*. In het geval van de BCG-matrix zijn dit respectievelijk de marktgroei en het relatieve marktaandeel (uw marktaandeel gedeeld door dat van de grootste concurrent in die markt).

Voorts voeg je smaken toe aan dit basisrecept door middel van extra ingrediënten. Zo wordt in de BCG-matrix de as van de bedrijfssterkte omgekeerd weergegeven (van hoog naar laag). Het nut hiervan? Het helpt de *connaisseurs* van de *charlatans* te onderscheiden op een toelatingsexamen voor een MBA.

De grootte van de cirkels geeft de omzet van de PMC's aan. Om het mentale verteringsproces te helpen, werkt u dit gerecht af met een aantal kruiden. Deze smaakmakers betreffen eenvoudige beslissingsregels om de manager te helpen bij de beslissingen. Zo luiden die in de BCG-matrix dat (1) een hoger relatief marktaandeel samengaat met lagere kosten, en dus hogere cash inflow, en (2) een hogere marktgroei samengaat met hogere investeringen, en dus een hogere cash outflow. Dit alles leidt tot een aantal kwadranten, en voor ieder kwadrant worden eenduidige aanbevelingen opgesteld. Zo stelt onder meer de BCG-grootheid Henderson onomwonden dat 'dogs are essentially worthless' (dogs zijn producten in een markt met lage groei en een relatief laag marktaandeel).

Een juiste balans in de samenstelling van de portfolio is een wissel op de toekomst. Maar zelfs de succesvolste ondernemingen zijn niet succesvol op alle fronten. Vorig jaar maakte Microsoft voor het eerst bekend dat ze een 85 procent winstmarge hadden op het Windows-systeem. Vier andere belangrijke PMC's waren voorlopig verre van succesvol (Home Entertainment Division, MSN, Business

Solutions, CE Mobility). Men schat dat Microsoft $ 120 verliest op elke Xbox-spelconsole die het verkoopt!

Vierkanten draaien soms moeilijk

Het simpele portfoliorecept heeft zich als mentale fastfood door de bedrijfswereld verspreid. 'Portfolioanalyse is waarschijnlijk de bekendste en meest toegepaste strategische analysetechniek die ooit ontwikkeld werd'[26]. Deze methode is dan ook eenvoudig, en multi-inzetbaar. Zo kunt u een *concurrentieel-historische analyse* maken van de diverse concurrenten in één PMC: wie wint, wie verliest en wat zijn de verklarende factoren? Maar daarnaast kunt u tevens een *introspectie* uitvoeren op uw eigen productportfolio, desnoods opnieuw aangevuld met een historische analyse. U kunt niet alleen de productlijnen in de portfolio onderbrengen, maar het is evenzeer mogelijk de verschuivingen van segmenten en strategische klanten te belichten met deze portfoliotechniek.

Een aantal problemen maakt dat bedrijfseconomische analyses op basis van deze veel gehanteerde BCG-matrix soms vierkant draaien. Geven de twee dimensies – marktgroei en relatief marktaandeel – écht een goede beschrijving van de markt? Hoe bepaal je het marktaandeel in projectgedreven, klantenspecifieke markten (zoals veel industriële markten)?

Als remedie worden verfijningen aangebracht in het oorspronkelijke recept. Zo maakt de – eveneens vaak gehanteerde – GE-McKinsey-matrix gebruik van meerdere, industriespecifieke indicatoren om de marktaantrekkelijkheid en concurrentiepositie te evalueren. Is dit nu de verfijning op quantum leap-niveau die de overstap realiseert van een fastfood- naar een sterrenrestaurant? Het lijkt eerder op een lucratieve variatie op een thema.

Overigens, is de BCG-matrix in feite fastfood, de GE-McKinsey-matrix is vaak funest food. Het subjectieve beoordelen roept vaak een milde tunnelvisie in managementteams op. Geen enkele PMC scoort écht uitstekend en niets is écht slecht. Het gevolg is dat het zwaartepunt van deze *bollenwinkel* zich binnen een nauwe bandbreedte begeeft. Deze beperkte variatie verhoogt de foutenkans in het strategische keuzeproces. Een goedbedoelde, milde beoordeling kan door de markt onaangenaam hard afgestraft worden.

Dit kunt u meestal vermijden door resultaatvariabelen (bijvoorbeeld marktaandeel of winst) op te nemen. Het onderzoeken van zulke variabelen geldt als een lakmoestest: de afwezigheid van een relatie tussen bijvoorbeeld de geschatte concurrentiepositie en de gerealiseerde resultaten wijst op fundamentele beoordelingsfouten. Bovendien zijn dergelijke resultaatvariabelen vereist om herinvesteringen te legitimeren en de slagkracht te behouden.

Begrijp ons niet verkeerd: er is niets fout met een portfolioanalyse op zich! Echter, het moment dat de commerciële werkelijkheid omgetoverd wordt in een *'management-by-squares'*-oefening, draait het managementdenken vierkant. De onderhavige bollenwinkel wordt als het allernieuwste testament beschouwd. Maar dan start pas het echte werk! U hebt geen vierkant hoofd nodig om het plaatje te snappen, maar een helder hoofd. Een beeld zegt meer dan duizend woorden nadat er grondig over het beeld nagedacht en gediscussieerd is.

De fictie en feiten van synergie

Portfolioanalyses worden eveneens gehanteerd om nieuwe jachtgronden te verkennen. Zijn er nieuwe markten die betreden kunnen worden? Zijn er nieuwe producten die gelanceerd kunnen worden? Zo kan een internetgrootheid als Cisco groeien in *voice over*-internet, draadloze netwerken, storage area networks en in optische netwerken investeren.

Veel managers hebben – terecht – de woorden van Tom Peters en Robert Waterman ter harte genomen: 'Vrijwel alle academische studies tonen aan dat ongerichte diversificatie een verliesgevende bezigheid is'[27].

Synergie is nu het nieuwe modewoord geworden. Het is ook de nieuwe fata morgana van veel strategische bespiegelingen geworden. Zo is groei middels acquisities een geliefde manier om uitbreiding te realiseren. De schrandere manager heeft hiertoe het vocabulaire opgepoetst. Groei die niet gerealiseerd wordt door overnames noemt men heden ten dage organische groei. Wat de reageerbuis-baby is voor de gezinsuitbreiding, is de acquisitie dan blijkbaar voor de ondernemingsgroei. Eén verschil: reageerbuisbaby's hebben een realistische kans op succes!

Het acquisitieverhaal van veel ondernemingen leest als bombastische *business fiction*, gelardeerd met onbenullige grootheidswaanzin. 'WorldCom wasn't operated at all, it was just on auto pilot, using bubble gum and Band-Aids as solutions to its problems. Bernie was endearing, but he didn't even have a working knowledge of the business', is het oordeel van een analist met betrekking tot WorldCom en zijn CEO Bernard Ebbers. De acquisities werden nooit doeltreffend geïntegreerd, en het was maar zeer de vraag of ze integreerbaar waren. Het faillissement was het radicale symptoom van de vele organisatorische inefficiënties.

Marketeers dagdromen er wel eens over om de distributiekanalen van een *concullega* over te nemen. Maar ze realiseren zich vaak niet dat koppige vechtlust het handelsmerk van een goed vertegenwoordigersapparaat is, en dus moeilijk integreerbaar met het eigen team. Beide partijen overtuigen elkaar ervan dat hun manier van werken de juiste is, de facto samenwerking uitsluitend.

De Nederlandse Hoogovens en British Steel fuseerden. Een manager vroeg zich schamper af of de nieuwe bedrijfsnaam *Corus* stond voor *Coro*sion & *Rust*. De organisatorische en bedrijfseconomische resultaten van de integratie zijn verre van schitterend, zo vertellen insiders ons.

Focus: de hocus-pocus van een hypermonopolie

'Size does matter.' Maar samenstelling ook. Wat verkiest u: een onderneming met € 20 miljoen omzet in één segment (marktaandeel 60 procent), of een onderneming met € 20 miljoen omzet gespreid over vijf segmenten (marktaandelen variëren tussen 3 en 15 procent)? Over smaak en kleur valt moeilijk te twisten, maar wij verkiezen hypermonopolies boven hyperconcurrentie.

Velen stellen zich openlijk de vraag of Volkswagen de ontwikkeling van de nieuwe Phaeton een succes mag noemen. De directeur Strategie, Jens Neumann, is zeker van zijn zaak: 'Wij willen onze klanten behouden die begonnen zijn met een Golf.' Als een klant het volk ontstijgt, rijdt die dan nog wel met een Volkswagen? Sommigen slagen erin de ultieme nichemarkt te definiëren: de markt zonder klanten. Als men zich blindstaart op gevaarlijke nichemarkten, heeft men dan voldoende oog voor de thuismarkt?

De jachtterreinen van succesvolle, ogenschijnlijk gediversifieerde ondernemingen zijn behoorlijk vergelijkbaar in de vereiste competenties en kritische succesfactoren[28]. Daarom investeert het management van de holding van de Vlaamse familie Desimpel niet meer in ADS Leisure Group. 'Horeca-uitbating is iets wat je moet overlaten aan professionelen, die de zaak van heel nabij volgen', besluit Christophe Desimpel.

Laten we het er maar op houden dat Sir Richard Branson een anomalie is die de regel bevestigt. En zelfs zijn imperium kan niet omschreven worden als algeheel succesvol. Focus is dan toch het magische woord.

En nee, dit is niet beperkend! Een juiste focus kan ongelooflijk verruimend werken. Bedrijven als Gillette en Coca-Cola zijn erin geslaagd om hun sterke thuisbasis verder uit te bouwen. Starbucks koos onder meer Wenen om voet aan wal te zetten op het Europese continent. In Oostenrijk is er één koffiehuis per 530 inwoners, en de gemiddelde Oostenrijker drinkt jaarlijks 1000 kopjes buiten het eigen huis en het eigen kantoor! Ondanks de hevige concurrentie, het algemene rookverbod, en de oorspronkelijk scepsis, lijkt Starbucks te slagen in zijn opzet. Het geheim? Ze focussen op hun business. 'Wij wensen geen koffie te verkopen, wij wensen een ontspannen 15 minuten te verkopen', stelt manager Holzschuh vast.

Dichter bij huis slaagde Studio 100 erin om vanuit de comfortabele fauteuil die Samson en Gert hen boden te groeien door middel van de focus op entertainment voor de allerkleinsten. Met onder meer Kabouter Plop en Plopsaland vervolledigen de dames van K3 het maagdelijk kindvriendelijke plaatje.

Daarmee stellen we niet dat je verantwoord risico moet mijden. Het niet nemen van risico is zeer riskant. De uitgever van *Rolling with the Stones*, het Britse Dorling Kindersley, benadrukt dat de opname van het bedrijf in de Pearson-groep mogelijkheden biedt: 'Wij beschikken nu over een comfortzone die ons toelaat onszelf opnieuw te ontdekken zonder de onderneming te riskeren.'

Eenzelfde scenario dient zich aan bij Saab, dat in zijn herstructurering een beroep kan doen op de competenties van het moederbedrijf General Motors. Dit brengt ons bij een ander gebrek van veel portfolioanalyses. In ondernemingen verplaatst men niet alleen financiële middelen van *cash cows* naar *question marks*, maar ook managementcompetenties. Deze vormen vaak een even schaarse resource als de financiële middelen.

Bloeien of verwelken in groeimarkten

In de perceptie van veel managers bepalen drie elementen de marktaantrekkelijkheid: marktgrootte, marktgroei, en concurrentie in de markt. De dotcomzeepbel heeft rijkelijk geïllustreerd dat managers vaak in blijde verwachting zijn. Ze verwachten namelijk een lucratieve marktgroei en dito omvang, en gaan er nogal graag van uit dat zij de enigen zijn die dit nieuwe gat in de markt ontdekt hebben.

Velen komen tot de ontnuchterende ontdekking dat hun *con-cullega's* eveneens het gat in de markt ontdekt hebben. De commerciële neus van grote luchtvaartmaatschappijen heeft nu jachtgronden ontdekt waar ze vroeger meewarig hun neus voor ophaalden. Het succes van ondernemingen als Southwest Airlines (VS), Ryanair en Easyjet (Europa) heeft de attitude doen veranderen. Heden ten dage nemen de *low cost carriers* 7 procent van de Europese markt in, en dit zal groeien naar 12 à 14 procent in 2006, en 20 tot 30 procent in 2025. 'Genoeg plek om te groeien', zo besluit Floris van Pallandt, directeur van KLM's prijsvechter Buzz. Maar dan wel bij een andere moeder, nu EasyJet zich over Buzz heeft ontfermd, en het bedrijf naar eigen model gaat omvormen.

KLM zal niet de enige zijn die actief de commerciële aandacht vestigt op dit segment. De nodige interviews en PR in kranten zal sowieso anderen zenuwachtig doen worden. Indien er binnenkort geen plaats meer is om te landen, wordt dit een zeer moeilijke markt om te groeien.

Overigens hebben we ook onze twijfels bij deze toekomstprognoses. Nu biedt 20 tot 30 procent ogenschijnlijk een grote bandbreedte, maar wie heeft überhaupt zo'n krachtige kristallen bol dat een kwarteeuw vooruit gekeken kan worden? De voorspellingen van wetenschappelijk verantwoorde Delphipanels in de jaren zestig over de leefwereld in het jaar 2000 zijn, retrospectief, ontwapenend belachelijk gebleken.

Helaas behandelen marketingmanagers, marktonderzoekers, strategische planners en adviseurs marktevaluatie op eenzelfde manier als een journalist die voor een boulevardblaadje naar bewijs zoekt. Men waant zich echt op de redactie van een pulpblad! Selectieve perceptie, inconsistente verwerking, oppervlakkige analyse en slechte communicatie. Zolang men de aandacht trekt is alles geoorloofd. Soms is het goed dat marktstudies in een lade eindigen. Daar richten ze minder schade aan.

We herinneren ons allemaal het fanatieke ritme bij het pas beëindigde fin du siècle. De beurs klom oneindig, zo leek het wel. Je was echt de laatste dorpsgek als je niet geïnvesteerd had in een internetbedrijf. Internet realiseerde wat Marx nooit vermocht. De arbeiders aller landen hadden zich verenigd en investeerden zwaar in het dotcomgebeuren. Waar vroeger een price-earningsratio van 30 tot gefronste wenkbrauwen aanleiding gaf, werd een price-earningsratio van 100 als een bijkomend teken ervaren dat de nieuwe economie met de oude had afgerekend. De dotcom was ieders jachtterrein geworden.

Groeimarkten zijn *niet* inherent attractief, en volwassen markten zijn *niet* per se oninteressant. Kaskoeien zijn *niet* altijd winstgevend (slechts 74 procent), en probleemkinderen *niet* altijd verliesgevend (slechts 46 procent)[29]. Uiteindelijk bepaalt de concurrentiestrategie of een markt een wingewest kan worden. Rusland heeft 10 jaren zijn tanden stuk gebroken op Afghanistan. Amerika klaarde de klus in een paar maanden.

Wegwijzers

1. Een portfolioanalyse is een onmisbaar instrument voor een correct inzicht in uw product-marktcombinaties.
2. Veel portfoliomodellen als de BCG- en de GE-McKinsey-matrix roepen een tunnelvisie op die naar middelmatigheid leidt.
3. Veel synergieën bestaan alleen op papier.
4. Liever groot in één markt (hypermonopolie) dan klein in vele markten (hyperconcurrentie).
5. U bent niet de enige die een nieuwe markthype opmerkt: het is alleen uw concurrentiestrategie die u naar succes kan leiden.

HOOFDSTUK 8

Je onderscheiden in het landschap

Concurreren is differentiëren

'Als je niet beschikt over een concurrentievoordeel, concurreer dan niet.'

Jack Welch, voormalig CEO van GE

Wij willen u een – waar gebeurd – verhaal vertellen. Twee jaar geleden hield een van de auteurs een workshop voor een groep Scandinavische managers van een IT-consultancy firma. De collegezaal was onvermijdelijk U-vormig. Twee van de muren waren van glas vanaf de vloer tot het plafond. Het omringende landschap was schitterend. Genietend van de vroege zon lagen de heuvels onder een geweldig mooie deken van verse sneeuw.

Terwijl de programmaleider een inleiding gaf over de opzet van de tweedaagse workshop, kwam er een visser langs. Hij stopte niet aan de rand van het bevroren meer. Nee, hij liep door. Toen hij het midden had bereikt, pakte hij een bijl uit zijn rugzak en sloeg een wak. Toen hij hiermee klaar was ging hij vissen.

Wat hadden de programmaleider en de visser met elkaar gemeen? Eigenlijk niets. Maar ze waren, zo leek het, aan het vechten om de aandacht van hetzelfde publiek. Toegegeven, de ene had hiervan niets in de gaten. Maar hij won.

De boodschap is erg eenvoudig: concurrentievoordeel wordt bepaald vanuit het standpunt van de klant. Af en toe horen we mensen uit het bankwezen zeggen dat hun grootste voordeel een dicht netwerk van filialen is. Onzin, de meeste klanten van de Rabobank bijvoorbeeld zouden het makkelijk af kunnen met één filiaal, zolang het maar bij hen in de buurt is. Een dicht netwerk van filialen *stelt* de organisatie *in staat* om een groot aantal individuele klanten te bereiken. Het is een voordeel dat als gevolg van het e-bankieren kan worden tot nadeel.

Concurrentievoordeel: het voorrecht van de cliënt

Het overtreffen van de verwachtingen van de klant is een centraal thema in de theorie en praktijk van marketing. Het gemiddelde Europese museum heeft ontdekt wat het Smithsonian in Washington al lang wist: een bezoeker is een klant. Mensen die er redelijk wat euro's voor over hebben om door donker verlichte vertrekken van een museum te wandelen op een stoffige locatie in centraal Amsterdam, na als een idioot drie kwartier te hebben gezocht naar een parkeerplaats, kunnen niet worden gezien als mensen die toevallig zijn komen aanwaaien. Zelfs staatsbedrijven en voormalige monopolisten zoals de BBC, de NOS en de VRT hebben ontdekt dat men kijkers het best kan beschouwen als klanten.

Hetzelfde kan worden gezegd van universiteiten en business-schools. Registratienummers zijn via studenten klanten geworden.

Het overtreffen van de verwachtingen van de klant is een noodzakelijke, maar onvoldoende voorwaarde om succes te behalen. Uw bedrijf is niet de enige speler op de markt. Andere organisaties proberen op dezelfde manier de verwachtingen van de klant te overtreffen. Waarom vinden sommige mensen Chileense wijnen lekkerder dan Franse? Er liggen duizenden verschillende flessen in de schappen. Waarom draaien we dan een beetje door als onze favoriete wijn ontbreekt? Omdat nou juist deze wijn voor deze specifieke klant iets van waarde biedt dat andere niet bieden. Concurrentievoordeel is de drijfveer van de behoefte van een klant. En wat is de propositie voor de klant: wat zal de klant krijgen, waarom zal hij of zij kopen?

In de farmaceutische industrie wordt een sterk patent voor een succesvol medicijn gezien als concurrentievoordeel. Is dit zo? Vanuit het perspectief van de klant maakt dit patent een unieke genezing mogelijk en het voorkomt dat de concurrenten hetzelfde gaan aanbieden. Weer stelt het de organisatie ergens toe in staat.

Daarom definiëren we concurrentievoordeel als *een sterkte van de organisatie die binnen een gegeven markt het beslissingsproces van de klant beïnvloedt in het voordeel van de organisatie.* Zo wordt duidelijk dat concurrentievoordeel gedefinieerd wordt vanuit het standpunt van de klant.[30] Uw concurrentievoordelen vormen de belangrijkste en meest onderscheidende elementen in de waardepropositie van uw onderneming voor uw klanten.

Zwak door SWOT

Om op de essentiële vragen van klanten een antwoord te krijgen, moeten organisaties hun reden van bestaan begrijpen. Men gebruikt vaak een SWOT-analyse om hier inzicht in te krijgen. Helaas vormt de analyse van sterkten en zwakten niet alleen het beginpunt, maar ook vaak het eindpunt. De climax van een planningssessie is een SWOT-matrix waarin de sterkten en zwakten worden geplaatst in relatie tot kansen en bedreigingen. Hoewel dit waarschijnlijk voldoende is in een elementair college strategie, schiet het te kort wanneer men de dynamiek van de externe omgeving en de interne competenties van de organisatie in ogenschouw neemt.

Het mislukken van een eenvoudige SWOT-analyse doet ons denken aan de vele echtscheidingen in het echte leven. Mensen veranderen, en een jaren later gebleken slechte match was een generatie geleden nog onbekend. Hetzelfde geldt voor het managersleven: een SWOT-matrix biedt veel meer eigenaardigheden dan de gemiddelde manager verwacht.

Wat bedoelen uw collega's eigenlijk precies wanneer ze het over een sterkte hebben? Een snelle blik in de marketingliteratuur en strategieliteratuur brengt weinig verheldering: het is moeilijk een overtuigende definitie te vinden. Sterkten zullen vaak gedefinieerd worden als factoren die een organisatie in staat stellen adequaat te reageren op opkomende kansen en bedreigingen. Een zwakte, u hebt het zeker al door, is precies het tegenovergestelde. Collega Caeldries liet ons tevens zien dat het gebruik van de SWOT-analyse nogal gebukt gaat onder vele cognitieve kleuringen van de deelnemers[31].

Hoe kan een slecht werkend instrument een goede strategie genereren?

Tijdens een sessie in het kader van strategische planning kan het voorkomen dat het geluk van managers lineair correleert met het aantal items op de lijst van sterkten. Zulke lijsten zeggen niets. Ten eerste, zo'n lijst van sterkten is een mengelmoes van interne organisatiefactoren (bijvoorbeeld cultuur, financiële middelen) en externe klantfactoren (bijvoorbeeld productprestaties, kwaliteit van de service). Ten tweede, een sterkte hoeft niet per se naar de klant te verwijzen. 'Geloven wat u graag wilt, mag u misschien geruststellen, maar veiligheid zal het u niet bieden', merkte Bush junior eens op in een van zijn heldere momenten.

Scoren in uw arena

Het hebben van een concurrentievoordeel is van vitaal belang: organisaties die het hebben, bloeien op in de markt; organisaties die het niet hebben, verliezen. Zowel de strategieliteratuur als de populairzakelijke pers kunnen legio voorbeelden geven van organisaties die hun voordelen benutten: General Electric, Microsoft, Nucor, Southwest Airlines, Wal-Mart, et cetera. Sabena werd 'Hasbeena', niet vanwege het gebrek aan sterkten, maar vanwege een gebrek aan concurrentievoordeel.

Voordat we de discussie verder voeren, zouden we wat tijd met u willen spenderen aan het mooie concept van kritische succesfactoren (KSF). Die kritische succesfactoren, zoals de definitie luidt, zijn variabelen die het management kan beïnvloeden en die de concurrentiepositie bepalen van de organisatie in de bedrijfstak.

We moeten wel een verschil maken tussen KSF'en die bestaan uit de noodzakelijke vereisten voor de organisatie om te concurreren in een gegeven markt (deze noemen we 'tickets to ride': bent u

gekwalificeerd?), en KSF'en die de organisatie duidelijk onderscheiden van haar rivalen (oftewel 'tickets to heaven': u bent een winnaar!). Vanuit een marketingperspectief hoort een concurrentievoordeel tot de tweede categorie. Kijk eens naar de fysieke Arena
waarin de voetbalclub Ajax speelt. Ajax, zeker wanneer we de histo-
rie van de club bekijken, heeft zonder meer concurrentievoordelen.
Zo is zijn reputatie in Europa sterk en positief. Ontegenzeggelijk is
het hebben van een stadion met daarin een grasmat een kritische
succesfactor om in de Europese en Nederlandse voetbalarena mee te
doen – maar zeker geen concurrentievoordeel, als we eraan denken
dat die grasmat sinds 1996 al zo'n 30 keer vervangen is…

We kunnen ons nog goed een sessie met een Nederlands industrieel onderzoeksbedrijf herinneren, waarbij een consultant elf kritische succesfactoren voor de organisatie op een rijtje zette:

- Imago
- Betrouwbaarheid
- Meedenken met de klant
- Relatie
- Kennis
- Prijs
- Kwaliteit
- Flexibiliteit
- Snelheid
- Innovativiteit
- Middelen

Eén persoon in de groep, Bas, was het er niet mee eens. Hij merkte
op dat hoewel de factoren zeker van belang waren, het gewoonweg
onmogelijk was om in elk van hen uit te blinken. Er moesten keuzes
worden gemaakt.

Weet u wat? Bas had gelijk. Vergelijk het met succesvolle tien-
kampers als Jurgen Hingsen, Daley Thompson, of recenter Roman
Sebrle (de eerste persoon die meer dan 9000 punten behaalde).

Blinken ze uit in alle tien de disciplines? Nee! De lichaamsbouw die nodig is voor het winnen van het kogelstoten en het discuswerpen verschilt nogal van de lichaamsbouw die nodig is om de 100 meter sprint te winnen of de 110 meter horden. Zoals Bill Cosby ooit zei: 'Ik weet niet wat de sleutel tot succes is, maar de sleutel tot mislukking is proberen het iedereen naar de zin te maken.'

In hun boek *The Myth of Excellence* stellen Crawford en Mathews dat succesvolle bedrijven ervoor kiezen op één KSF te domineren, op een ander te differentiëren, en op drie andere gemiddeld in de markt te presteren[32]. Hier geldt dat een bedrijf niet hoeft te excelleren op alle KSF'en. Met andere woorden: het simpelweg bezitten van de juiste KSF'en is niet het hele verhaal.

Dit betekent niet dat KSF'en van de eerste categorie niet van belang zijn. En eenvoudigweg deze factoren benadrukken zal niet leiden tot succes op de markt. Een chemisch bedrijf scoorde redelijk in een onderzoek naar kritische succesfactoren op de Engelse markt. Maar het marktaandeel van dit bedrijf was slechts 2,5 procent, in een markt met niet meer dan zes concurrenten in totaal. 'Everything counts in large amounts' liet Depeche Mode al weten, en plaatst daarmee dit voorbeeld in een correcter perspectief.

Wanneer u gemiddeld scoort op alle kritische succesfactoren, zal uw marktaandeel veel minder dan gemiddeld zijn. De essentie is winnen! Wanneer een manager zegt: 'We hebben een goed product voor een redelijke prijs', weet u dat de organisatie niet succesvol is in het differentiëren van haar product.

De essentie van concurrentievoordeel bestaat uit differentiatie, dat wil zeggen: de manier waarop u uzelf onderscheidt van de concurrentie in de ogen van de klant. Concurrentie handelt om differentiatie, en de beste differentiatie is die differentiatie die de klant in extase brengt! De klant kán dan niet meer vergelijken met soortgelijke aanbiedingen in de markt.

Concurrentievoordelen zijn een keuze

De titel van dit onderdeel is een parafrase van de gevleugelde uitspraak van John de Manager in een geniale campagne voor Unilevers Cup-a-Soup: 'Succes is een keuze!' Dat geldt ook voor uw concurrentievoordeel. Bedrijven die concurrentievoordeel nastreven kunnen uit de volgende mogelijkheden kiezen: of ze excelleren op bestaande kritische succesfactoren, of ze creëren een revolutie en introduceren nieuwe KSF'en.

Een goed voorbeeld van de eerste categorie is Rolex. Kwaliteit en prestige zijn bekende kritische succesfactoren in de horloge-industrie. Rolex heeft de lat echter zo hoog gelegd, dat het voor andere massa – wat zegt een naam – producenten van horloges bijna onmogelijk is geworden om op dit aspect te differentiëren.

De tweede benadering is van toepassing op organisaties die de regels van het spel veranderen. In verband hiermee zijn termen als 'waarde-innovatie', 'het breken van regels' en 'strategische innovatie' van toepassing. Wat voor woord we er ook voor kiezen, deze regelbrekende organisaties verstoren vaak proactief de gevestigde industriële orde. Denk aan CNN: het begon met nieuwsuitzendingen van 24 uur toen geen enkel ander station dit deed. Het budget voor het dag en nacht uitzenden van nieuws – dat niet alleen ging over de 150 km brede stroken land aan de Atlantische en de Grote Oceaan – werd geschat op 20 procent van wat CBS nodig had voor een nieuwsuitzending van 60 minuten![33]

Volgens Porter[34] – een waarlijk populaire jongen in strategieland! – zijn er twee wegen die leiden tot concurrentievoordeel: differentiatie (hogere prijs voor een uniek product) of kostenvoordeel (hetzelfde product voor een lagere prijs). Hoewel Porters model zonder twijfel tot de invloedrijkste bijdragen hoort op het gebied van bronnen van concurrentievoordeel, trappen we er niet in (zie ook hoofdstuk 14):

- Het argument dat beide strategieën niet gecombineerd zouden kunnen worden, is in het licht van wetenschappelijk en anekdotisch bewijs onhoudbaar.

- Men moet het vanuit het perspectief van de klant zien: een klant is niet geïnteresseerd in kosten, maar wel in prijs (en dan nog wat: klanten die kopen op basis van prijs, zijn loyaal ten opzichte van die prijs, niet ten opzichte van de organisatie).

- Vanuit een technologisch perspectief differentiëren (= effectiviteit) organisaties eerst en ze verlagen pas later de kosten (= efficiëntie).

- Een kostenvoordeel is minder duurzaam dan een differentiatievoordeel, vanwege bijvoorbeeld internationale handel, technologische veranderingen of mobiliteit van personeel tussen organisaties.

Een eenvoudige methode om de huidige concurrentievoordelen van uw organisatie te identificeren is de volgende. Stel een groep samen van zes tot tien personen met verschillende functies. Maak een lijst van de belangrijkste sterkten, op een echte brainstormachtige manier, van uw bedrijf in de gekozen markt (zwakten zijn voor een andere gelegenheid!).

Om de discussie na afloop te stimuleren, is de regel van toepassing dat men niet stopt voordat de groep veertig sterkten op papier heeft staan. Een paar van de sterkten worden door uw divisie gecreëerd (bijvoorbeeld de expertise van een verkoper binnen een Siemens-divisie) en andere sterkten zijn het resultaat van het feit dat uw divisie bij een organisatie hoort (bijvoorbeeld schaalvoordelen van Siemens Nederland), of bij een groep van organisaties (bijvoorbeeld de mogelijkheid om gebruik te maken van de naam Siemens). Dit groepsproces is essentieel! Het is namelijk een belangrijk onderdeel in het creëren van uw marketingstrategie – en wat is beter dan de strategie laten uitvoeren door de mensen die haar creëren, en haar *kunnen* uitvoeren?

Cliënten omarmen een differentiërend aanbod

Goed, wat zijn nu uw belangrijkste concurrentievoordelen? Zoals eerder gezegd: een concurrentievoordeel is een sterkte van uw organisatie die het beslissingsproces van de klant in het voordeel van uw organisatie beïnvloedt. Zie hier dat concurrentievoordeel altijd gedefinieerd wordt vanuit het oogpunt van de klant! De lijst van veertig of meer sterkten zal u voorzien van een goede visvijver om uw selectie te maken.

Bij het maken van uw selectie zou u de regel moeten toepassen dat u niet meer dan *vijf* concurrentievoordelen kiest. Wanneer u namelijk uw klanten niet weet te overtuigen met uw vijf belangrijkste argumenten, is het twijfelachtig of u dit überhaupt ooit voor elkaar zult krijgen.

Gebaseerd op empirische en theoretische beschouwingen over dit onderwerp, de strategische marketingliteratuur en consultancy-projecten, onderscheiden we vier typen concurrentievoordeel: dienst of product, imago, klantenproces en prijs. Deze vier typen geven wij graag visueel weer in figuur 1; we noemen het model CODA – *Cliënten Omarmen een Differentiërend Aanbod*. We gebruiken de term CODA ook in overdrachtelijke zin – als *slotakkoord* in uw strategische-marketingproces! In feite vertegenwoordigt dit model de vonk tussen vraag en aanbod. Twee zaken willen we even

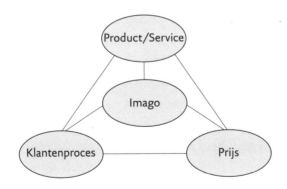

CODA-model: Cliënten Omarmen een Differentiërend Aanbod

uitlichten voordat we de vier typen concurrentievoordelen uitleggen in vier aparte hoofdstukken.

In de eerste plaats verschilt CODA van traditionele modellen hierin, dat ons model vertrekt vanuit de klant. Maar al te vaak maken we mee dat marketing vóór en dóór de onderneming geschiedt, en de klant, tja, die vergeet men! Ons model specificeert de concurrentievoordelen verder, namelijk als overtuigende redenen die *uw organisatie* de klant geeft om bij u te kopen. In de tweede plaats geldt voor CODA dat prijs geen sturende factor is, maar een gevolg van het hebben van concurrentievoordelen. Beschrijf voor de klant de concurrentievoordelen, en u ontvangt uw prijs voor uw product. Maar let wel op! De basiswetten van de marketing blijven wel gelden, en een daarvan is dat we niet iedereen met één en hetzelfde product tevreden kunnen stellen (zie hoofdstuk 6).

Laten we even kort omschrijven wat onze typologie van concurrentievoordelen nu inhoudt; we geven per type concurrentievoordeel aan in welk hoofdstuk we u verder van dienst zullen zijn:

- De product- of dienstencomponent verwijst naar de kern van het functionele product of de dienst die de organisatie aanbiedt aan haar klanten. *Wat biedt u aan?* (Hoofdstuk 12)
- Klantprocessen worden gedefinieerd als het organisatie-klant-interactieproces waarmee een organisatie relaties met de klant identificeert, opbouwt en onderhoudt, zoals dit gezien wordt door deze klant. *Hoe biedt u het aan?* (Hoofdstuk 13)
- Prijs zien wij als de financiële en niet-financiële kosten die de klant maakt voor het consumeren van de diensten van de organisatie of voor het bezitten van diens producten. *Wat kost het de klant?* (Hoofdstuk 14)
- De imagocomponent relateert aan het bewustzijn, de denkbeelden, ideeën of indrukken die de markt heeft over een organisatie en de producten/diensten die de organisatie aan de markt levert. *Waar staat u voor?* (Hoofdstuk 15)

Wegwijzers

1. Kritische succesfactoren zijn noodzakelijke, doch beslist onvoldoende voorwaarden om succes te bereiken.
2. De klant bepaalt in welke arena u speelt, maar u mag bepalen waarom de klant voor u gaat kiezen.
3. Een concurrentievoordeel is een sterkte die de organisatie heeft, die binnen een gegeven markt het beslissingsproces van de klant beïnvloedt in het voordeel van uw onderneming.
4. Er zijn vier typen concurrentievoordelen: de dienst of het product, het imago, het klantenproces en de prijs.
5. Prijs is het minst duurzame concurrentievoordeel; u kunt beter kiezen voor een product-, imago- of klantenprocesdifferentiatie.

HOOFDSTUK 9

De andere zijde van de gouden medaille

Businessmodelling

'Voor de organisatie zijn middelen en producten twee zijden van dezelfde medaille.'

Birger Wernerfelt

Laten we dit hoofdstuk beginnen met een ervaring van de Belgische auteur. Tijdens een van zijn opdrachten begin jaren negentig in Nederland liet een Nederlandse programmaleider zich subtiel ontvallen dat een fax hoogstwaarschijnlijk een erg bruikbare investering voor hem zou zijn. Voor degenen die hier niet van op de hoogte zijn: de Nederlanders genieten erg van de Bourgondische levensstijl van hun zuiderburen, maar veel Nederlanders zijn er nog steeds van overtuigd dat het intelligentere deel van België naar het noorden is gevlucht tijdens de inquisitie. Als gevolg hiervan vertrouwen sommigen het Belgische postsysteem niet erg. Met dit laatste gaan we, in alle eerlijkheid, akkoord.

We zijn dus de Belgacom-winkel in Roeselare, West-Vlaanderen, binnengegaan. Een kwartier voor sluitingstijd. Kort gaf men ons uitleg over de beschikbare modellen. Zoals vaak het geval is wanneer men een duurzaam consumptiegoed wil kopen, heeft men tijd nodig om een keuze te maken. We waren eigenlijk al op weg naar buiten, toen we besloten welk model we wilden kopen. Toen we terugliepen naar de balie, twee minuten voor sluitingstijd, vertelden we de verkoper dat we onze keuze gemaakt hadden en dat we nog diezelfde dag de desbetreffende fax wilden kopen. 'Oh,.... echt waar?!?' dit was ongeveer het meest enthousiaste wat de verbijsterde en hevig teleurgestelde verkoper kon stamelen.

Terwijl Belgacom in diezelfde periode juist transformeerde tot een marktgeoriënteerd bedrijf, was hij duidelijk een van de vele personen die nog steeds de oude cultuur ademde. Het werk houdt op bij sluitingstijd en daarna begint het echte leven. Wij waren slechts een hinderlijk obstakel voor de gebeurtenis waar hij al sinds het begin van zijn werkdag naar uit zat te kijken: het einde van diezelfde werkdag!

Klanten? Die verstoren je doelstellingen!

Organisatiecultuur is een hardnekkig fenomeen. Het overleeft gol-ven van verandering. Bij voetbalclubs – toch een soort KMO (België) of MKB (Nederland) – kan men naar believen mensen aantrekken en ontslaan. Maar toch, of het nou het nationale team van Duitsland of Brazilië is, of een lokaal voetbalteam zoals Ajax of Club Brugge, ze spelen vaak nog volgens hetzelfde systeem als dertig jaar geleden.

Het was bij Belgacom niet anders. Ongeveer een jaar later gin-gen we terug voor een mobiele telefoon. Een dergelijke telefoon maakte de Belgische auteur nóg beter bereikbaar voor de Nederlandse klanten. Zouden de Nederlanders nou écht de toon-aangevende rolmodellen zijn voor de Belgen?

Hoe dan ook, we stapten weer dezelfde Belgacom-winkel in Roeselare binnen. Ongelukkig genoeg, door onze drukke agenda, weer een kwartier voor sluitingstijd. Terwijl wij dachten dat we de kunst van het snel spreken aardig onder de knie hadden, was deze jongen toch onze meerdere. Alle documenten werden in orde gemaakt, identiteitspapieren gekopieerd, de werking van de mobie-le telefoon uitgelegd, we betaalden en voordat we het wisten, ston-den we beduusd weer buiten. Twee minuten voor sluitingstijd. En de verkoper? Nou, hij stond klaar om te beginnen met zijn mooiste moment van de dag: sluitingstijd!

De mobiele telefoon en de verbinding werkten niet goed. Toen we daarover een klacht indienden en over het gebrek aan vriende-lijke service de avond ervoor, vertelde iemand ons vriendelijk dat 'deze mobiele telefoon en de verbinding een speciale aanbieding waren van Proximus en dat u dus geen service kunt verwachten'. Het imago dat gecreëerd was door de op dat moment lopende recla-mecampagne op de Belgische markt, waarbij Belgacom/Proximus werd gepositioneerd als klantgeoriënteerd bedrijf, verdween ter plekke als sneeuw voor de zon. En die sneeuw komt niet vanzelf terug!

Maar goed, de dame hielp ons en we konden van start gaan! De mobiele telefoon heeft op verschillende plaatsen in Europa gewerkt. Een aantal maanden later echter, weigerde het ding. Er was duidelijk iets mis met de verbinding. Toen we Proximus belden, werd ons verteld dat het nummer was afgesloten. Door hun vragen werd het duidelijk wat er was gebeurd. Klaarblijkelijk was de tenaamstelling van het abonnement correct, maar het adres helemaal verkeerd. Dus de rekening voor de vele telefoongesprekken was verstuurd naar een andere klant. U kunt zich de volgende scène voorstellen: 'Schat, waar zei je nou dat je onlangs geweest was?'

Hoe dan ook, deze persoon weigerde uiteraard de rekening te betalen. Nu maakte Proximus kennis met de ultieme nachtmerrie. Ze hadden een klant, maar wisten niet wie het was! Dus bedachten ze dat als ze de lijn zouden afsluiten, de idioten wel zouden bellen. En kijk, dat gebeurde! *Wij* waren de idioten!

Middelen maken machtig

Wat we duidelijk willen maken is nogal eenvoudig: concurrentievoordelen en middelen zijn twee kanten van dezelfde medaille. 'Strategische positionering', beargumenteert Michael Porter, 'is het uitvoeren van andere activiteiten dan de concurrenten, of het uitvoeren van soortgelijke activiteiten op andere manieren'[35]. Harley Davidson heeft een erg sterk imago in de markt. Zij hebben dit echter niet voor niets. Ze moeten het verdienen. Een van de manieren waarop zij dit voor elkaar krijgen is het uitgeven van nogal wat geld aan advocaten die fanatiek jacht maken op wat voor misbruik dan ook van de Harley Davidson-merknaam en het hiermee geassocieerde erfgoed.

We vragen ons vaak af, omdat we ongeveer 50.000 tot 60.000 kilometer per jaar op de weg zitten, waarom iemand de moeite neemt om de bedrijfsnaam duidelijk op hun vrachtwagens te schilderen. Het rijgedrag van sommige vrachtwagenchauffeurs is een goede poging tot *ont*marketing. Zij zijn ook onderdeel van het imago dat uw bedrijf uitdraagt. Een beangstigende gedachte, niet? Zou het soms niet prettiger zijn als een vrachtwagen ook een 'merkloos product' zou zijn?

Het idee van waardecreatie heeft veel aandacht gekregen in de strategieliteratuur, de organisatieliteratuur en de marketingliteratuur. Het werk van onder anderen Wernerfelt en Hamel en Prahalad heeft een heel nieuwe manier van strategisch denken ontketend, namelijk de 'resource-based view'[36]. De centrale gedachte van de 'resource-based view' is dat een concurrentievoordeel niet voortvloeit uit een positie in een aantrekkelijke markt, maar uit het effectief gebruiken van middelen in duidelijk geïdentificeerde markten.

De zoektocht naar een systematische methode die een grondige analyse van de waardecreatie mogelijk zou maken, is jaren lang een ongrijpbare missie gebleven. Geen van de 'waardeketens' kon aantonen tegelijkertijd verfijnd en robuust te zijn. Een artikel van Michael Porter[37] (ja, dezelfde weer) voorzag in een langverwacht instrument dat:

- een systematische, rationele en diepgaande analyse van de waardecreatie toeliet;
- aangepast kon worden om ieder type organisatie te analyseren;
- visueel aantrekkelijk was omdat het makkelijk communiceerbaar was;
- gewoonweg makkelijk te begrijpen was.

Het creëren van een businessmodel: CODE-ren

Een activiteitensysteem of *businessmodel* laat zien hoe een concurrentievoordeel van een organisatie gecreëerd wordt door haar middelen. We maken meestal een onderscheid tussen tastbare middelen (bijvoorbeeld human resources, patenten, infrastructuren, financiële middelen) en ontastbare middelen (bijvoorbeeld knowhow, ervaring, cultuur, vaardigheden, en processen). Processen definiëren wij als 'een verzameling activiteiten die één of meer soorten invoer gebruikt en hiermee een uitvoer creëert die van waarde is voor de klant'[38]. Kerncompetenties zijn ontastbare middelen die de klanten van de organisatie een unieke toegevoegde waarde bieden, moeilijk te imiteren of te substitueren zijn door concurrenten en het mogelijk maken om op zo'n manier waarde te creëren voor de klanten op verschillende markten dat de doelstellingen van de organisatie worden bereikt[39]. Ze bestaan meestal uit vele subcompetenties.

Een businessmodel ontstaat niet vanzelf, u zult uw middelen moeten 'coderen', waarbij CODE staat voor het *Creëren van Organisatorische, Differentiërende Expertises*. Van CODA naar CODE, ziet u wel?

Het concept van een businessmodel is erg eenvoudig. U identificeert uw concurrentievoordelen ('wat') en relateert deze aan de tastbare en ontastbare middelen die nodig zijn om de klant van deze waardepropositie te voorzien ('hoe'). U wilt een ander woord voor tastbare en ontastbare middelen? Noem het *'enablers'* en het wordt duidelijk dat een organisatie haar concurrentievoordelen moet ver-

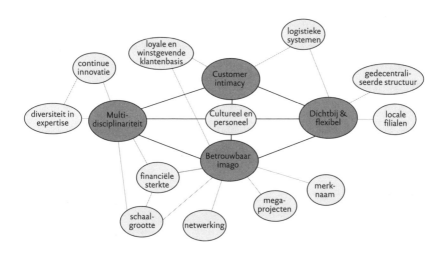

Business Model van een Stork Business Unit

dienen. Flexibiliteit is een voorbeeld van een populaire enabler. Maar zoals een deelnemer aan onze sessies opmerkte, 'om flexibiliteit te creëren, heeft men een zeer gedisciplineerd management team nodig. Mijn mensen zijn bijna puriteinen'. Zie hier het belang van middelen. Het is duidelijk dat dan ook netwerkmogelijkheden en kennisstructuren deel moeten uitmaken van een businessmodelanalyse.

In de figuur hebben we het businessmodel van een divisie van Stork samengevat, een leidend Nederlands industrieel bedrijf op het gebied van machinebouw en technische dienstverlening. Zijn concurrentievoordelen zijn: het multidisciplinaire karakter, klantintimiteit, betrouwbare en flexibele nabijheid in heel Nederland, en een beproefd, betrouwbaar imago. Het betrouwbare imago bijvoorbeeld kunnen we makkelijk samenvatten door een uitspraak van één van de marketingmanagers: 'Wanneer we een potentiële klant bezoeken, zijn er vijf vragen die ze ieder ander zouden vragen, maar ons niet. We mogen dan als conservatief beschouwd worden, een betrouwbaar bedrijf zijn we in ieder geval wel.'

Dit imago heeft het bedrijf niet voor niets gekregen. Stork heeft dit verkregen doordat het de financiële kracht en de benodigde schaal bezat om een aantal grotere projecten uit te voeren. In het verleden had Stork een aantal grote projecten gerealiseerd, verder gebouwd aan zijn netwerk binnen de overheid en Stork was nog steeds een begrip. Een interessante bijgedachte: terwijl we tastbare middelen na verloop van tijd afschrijven op de balans, worden ze vaak sterker in het businessmodel! Daarom scheppen organisaties graag op over hun langdurige bestaan van zeventig jaar of meer.

De catwalk van een businessmodel

Tijd om even stil te staan bij een aantal belangrijke gedachten over businessmodellen. Als alles volgens plan gaat, maakt het businessmodel duidelijk hoe uw organisatie waarde creëert. U hebt echt geen 20 pagina's slaapverwekkende proza nodig om te beschrijven hoe uw bedrijf werkt. Wanneer u dit op een rationele manier benadert, denkt u beter over de zaken na. Een Noorse manager, na het businessmodel van zijn IT-consultancybureau te hebben bestudeerd, merkte op: 'Ik kan het verkeerd hebben, waarde collega's, maar behoren wij tot de besten van de wereld qua middelmatigheid?' Zo'n constatering brengt meteen een focus aan in de agenda van de directievergadering.

Zoals gemeld, stellen wij voor niet meer dan vijf concurrentievoordelen te benoemen. We scheppen er altijd weer plezier in om na afloop van een sessie aan de groep te vragen: 'Gegeven de concurrentievoordelen die u hebt geïdentificeerd voor uw bedrijf, zijn deze *beneden* het niveau van de concurrentie, van *vergelijkbaar* niveau, hebben uw klanten u gewoon *liever*, of komen ze bij u vanwege deze *concurrentievoordelen*?'

Een soortgelijk nuchter concurrentiestandpunt moeten we innemen met betrekking tot het waarderen van de middelen. 'De grootste vergissing die managers maken wanneer ze hun middelen evalueren is ze niet te waarderen ten opzichte van de concurrenten'[40]. Corma was bijvoorbeeld het eerste bedrijf dat ham een merknaam gaf. Zijn bekende Gandaham wordt, binnen Vlaanderen, beschouwd als een product van topkwaliteit. Het is interessant dat Dirk Cornelis, eigenaar van Corma, denkt dat zijn belangrijkste bron van succes niet ligt op het gebied van productie, maar op het gebied van communicatie: 'Ons productieproces is niet strategisch. Anderen produceren ook excellente ham. Het is wel zo dat degenen die dit beter weten te communiceren, ook beter presteren.' Porter heeft gelijk. Bij concurrentiestrategie gaat het erom anders te zijn. En dat kan weer inhouden dat u op de regels binnen de industrietak excelleert, ze doorbreekt of ze eenvoudigweg verandert.

Als uw concurrentievoordelen echte winnaars zijn in de markt, neem ze dan niet voor lief. Een Europese bank identificeerde betrouwbaarheid van haar service als concurrentievoordeel. Veel managers dachten dat dit een noodzakelijke factor was, in plaats van een winnaar in de markt. De CEO wist hen er op een felle manier van te overtuigen dat alhoewel de betrouwbaarheid van service eenvoudig klinkt als idee, zij ontzettend moeilijk te implementeren is.

Een collega van ons, Filip Caeldries van de Tias Business School, noemt dit een N x X x 220-probleem. Veronderstel dat u 430 medewerkers hebt die allen, laten we zeggen, 25 operationele beslissingen per dag nemen, en er zijn 220 werkdagen in een jaar, dan zijn er 2.365.000 mogelijkheden voor menselijk ingrijpen om onbetrouwbaarheid te creëren. En één foutje kan ontzettend veel schade aanrichten. Dit merkte Jeffrey K. Skilling, de voormalig CEO van Enron, op tijdens de verhoren voor het Amerikaanse Congres: 'Het was een erg grote organisatie. Het was onmogelijk om alles te weten van wat er gaande was.' Helaas moet *uw* businessmodel wel onfeilbaar zijn!

Je bedrijfsmodel doorleven

De voordelen van een activiteitensysteemanalyse zijn rechttoe, rechtaan dat het een *analyse* en *synthese* toestaat, terwijl het *visueel makkelijk communiceerbaar* is. Het is belangrijk dat het bedrijf zo'n analyse op een rationele manier benadert. Van 'wensdenken' en blabla is geen enkele organisatie groot geworden. Onze analyse combineert de kracht van harde data met de overtuigende charme van ervaring, intuïtie en creativiteit. Bij het creëren van het bedrijfsmodel maken wij daarom dankbaar gebruik van de in de organisatie aanwezige kennis. In feite denken wij dat u alles al weet over uw onderneming, de bedrijfstak, de klanten en het concurrentiespeelveld. Via CODA en CODE ontdekt u uw bedrijfsmodel en hoe u waarde creëert. Dat betekent dat u in feite uw eigen consultant bent.

Met het doorleven van het bedrijfsmodel bedoelen we dat het noodzakelijk is dat u dit creëert met behulp van een groep mensen uit het bedrijf. De groep vertegenwoordigt alle functies en processen in het bedrijf. U zou toch niet willen dat bijvoorbeeld de IT-structuur ontbreekt in uw bedrijfsmodel omdat u geen IT'er in de groep hebt? De groep gaat onder deskundige leiding aan de slag met het creëren van het huidige bedrijfsmodel. Neem gerust de tijd – dit is geen oefening van een halfuurtje! En hebt u meer businessunits, diensten- of productlijnen, herhaal dan de oefening per onderdeel. U verkoopt uw mobiele telefoons in een B2B-markt toch ook anders dan in een B2C-markt? U kunt zelfs een businessmodel bepalen voor uw grote accounts.

Wanneer u deze exercitie afrondt, hebt u per marktsegment of productlijn een grafisch en duidelijk overzicht van uw concurrentievoordelen, de middelen die dit mogelijk maken, en is er een indicatie van mogelijke synergieën.

Wegwijzers

1. Een marktoriëntatie is noodzakelijk voor uw organisatie, en zij is moeilijk te implementeren.
2. Een businessmodel geeft aan wat uw concurrentievoordelen zijn en hoe u deze met uw middelen creëert.
3. De grafische weergave van uw businessmodel moet aantrekkelijk zijn en makkelijk te begrijpen.
4. U hebt veel kennis in huis; met een heterogeen samengestelde werkgroep kunt u uw eigen businessmodel opmaken.
5. Combineer de kracht van harde data met uw ervaring, intuïtie en creativiteit.

....

DEEL III

Kiezen

Elke reis heeft een doel. Wat is *uw* visie van de toekomst?

Met business roadmapping beoogt u een concurrentieel superieur businessmodel voor de toekomst te ontwikkelen. U stelt zich met andere woorden de vraag of uw huidige businessmodel duurzaam is en welke concurrerende opties ontwikkeld kunnen en moeten worden.

HOOFDSTUK 10

Sire, hebben wij kroonjuwelen?

Duurzaam concurrentievoordeel

'Er is niets zo opbeurend als beschoten worden zonder resultaat.'

Winston Churchill

Een van de auteurs streeft een (te) ambitieus doel na, en hij kan maar beter opschieten gezien de gevolgen van het ouder worden voor de fysieke gesteldheid van een mens. Hij wil een trektocht maken naar de top van de Kala Pataar, een 5544 meter hoge top met een schitterend uitzicht op de Mount Everest.

Het oorspronkelijke plan was om, na de top te hebben bereikt, een sigaar op te steken, een whisky te drinken en vervolgens te genieten van het prachtige uitzicht. We zullen het moeten doen zonder de sigaar (een fabrikant vertelde ons dat een sigaar niet brandt op die hoogte) en zonder de whisky (die kun je wel drinken, maar het is absoluut niet aan te bevelen).

Elke keer dat we aan de Mount Everest denken, realiseren we ons dat het makkelijker is deze berg te beklimmen dan er te blijven. Het beklimmen van de Mount Everest is op zich al een onwaarschijnlijke prestatie. Maar mensen zijn niet gemaakt om te blijven leven op een hoogte boven 7900 meter[41].

Whisky en sigaren zijn ook in vele bestuurskamers gemeengoed. Realiseren commissarissen en directeurs zich dat succesvol *blijven* zo mogelijk nog moeilijker is dan succesvol *worden*? Het ontwikkelen van een *duurzaam concurrentievoordeel*, dát is de fundamentele doelstelling van een strategie.

De magie van kroonjuwelen

De bedrijfseconomisch-wetenschappelijke literatuur heeft veel aandacht besteed aan het vraagstuk van duurzaam concurrentievoordeel[42]. Vele definities zijn er in de literatuur geopperd. Sommige definities vereisen een doctoraat in postmoderne woordenkramerij om ze te kunnen snappen. Wij proberen het met een beknopte omschrijving: *een duurzaam concurrentievoordeel creëert waarde voor de klant én de organisatie op een blijvende manier.*

Daarom noemen we ze ook wel *kroonjuwelen.* Deze vormen de basis voor het vermogen van een organisatie om bovengemiddelde winsten te realiseren, zelfs in tegenvallende markten. Hoewel Southwest Airlines ook de impact van 11 september 2001 voelde, waren haar operationele resultaten beter dan die van andere vliegtuigmaatschappijen. Blijkbaar beschikt Southwest Airlines over duurzame concurrentievoordelen.

Consultants zijn, bij gebrek aan een betere inspiratie, op de trein van de hyperconcurrentie gesprongen[43] en hebben de lading van het Engelse acroniem SCA omgevormd van '*sustainable competitive advantage*' naar '*sequence of competitive advantages*'. Afgezien van het feit dat we van nature de neiging hebben om de cognitieve rijkdom van adviseurs in twijfel te trekken, lijkt het ook alsof ze vergeten dat succesvolle organisaties niet geïnteresseerd zijn in hyperconcurrentie! Succesondernemingen realiseren hypermonopolies.

Harley Davidson is een goed voorbeeld van een hypermonopolist. Harley Davidson is de baas in chopperland. Wat betreft het imago komt geen enkele van de Japanse motoren ook maar enigszins in de buurt van de *Milwaukee Vibrator.* Hoewel een volledig uitgeruste *Fat Boy* niet meer strookt met de ware betekenis van een chopper ('*chopping*' betekende oorspronkelijk het weghalen van alle onnodige attributen), is het de ultieme droom van menig motorliefhebber om ermee te toeren door Monument Valley, onmiddellijk de schoonfamilie en andere, zakelijke beslommeringen vergetend.

De verloren schittering

Uiteraard moet ook Harley Davidson investeren om de concurrentieslagkracht te behouden. Een duurzaam concurrentievoordeel betekent nooit een eenmalige tocht richting Xanadu. Zonder de noodzakelijke investeringen verliest een bedrijf zijn concurrentievoordeel. Harley Davidson ondervond dit indertijd toen Honda de Amerikaanse markt verkende.

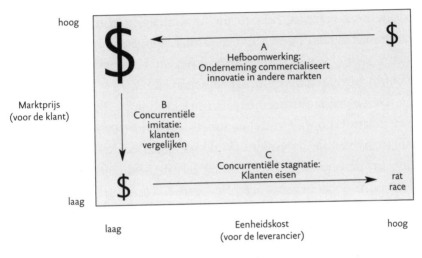

De Banaliseringsmatrix

De *banaliseringsmatrix*[44] geeft zeer goed weer wat er gebeurt indien het concurrentievoordeel erodeert. Wanneer een onderneming een nieuw product of een nieuwe dienst ontwikkelt, zijn de kosten per eenheid hoog. Indien het aanbod uniek en gevraagd is, mag ook de relatieve prijs navenant hoog zijn.

De onderneming introduceert vervolgens deze innovatie bij andere klanten en segmenten. Door schaalvoordelen en leereffecten dalen de kosten per eenheid. Indien het aanbod uniek blijft, kunt u een hoge prijs aanhouden (traject A). Hier passeert de onderneming 'Start' en ontvangt aan de kassa!

Succesvolle recepten vinden navolging door concurrenten. Klanten kunnen kiezen, en dit leidt tot een prijsdaling (traject B). In een volgende fase zullen klanten zich niet beperken tot een passieve vergelijking van het aanbod, maar zullen ze eveneens de diverse leveranciers tegen elkaar uitspelen. Met andere woorden: klanten zullen extra eisen stellen, wat leidt tot een verhoging van de kosten per eenheid (traject C).

Rechtsonder bevindt zich het verdomhoekje: veeleisende klanten, messcherpe prijzen, toenemende kosten. Wanneer u in dit hoekje bent verzeild, hebben uw kroonjuwelen al hun schittering verloren. Dit wordt dan écht een *ratrace*. '*Het probleem met een ratrace is, zelfs al win je, dan nog blijf je een rat*' (Lily Tomlin). Zou het niet fijn zijn aan deze *ratrace* te ontsnappen?

De volgende factoren bepalen het kroonjuweelgehalte van uw concurrentievoordelen[45]: (1) de superioriteit van de middelen, (2) de efficiëntie van de processen, (3) de toe-eigenbaarheid van de winsten, (4) de vergankelijkheid, (5) de vervangbaarheid en (6) de imiteerbaarheid van het concurrentievoordeel. Deze dure woorden vereisen een eenvoudige toelichting, zo dunkt ons.

Scherp gereedschap (superioriteit)

Een duurzaam concurrentievoordeel vereist de inzet van *superieure middelen*. Noem het een roep om realiteit, maar we zien veel ondernemingen die er geen probleem mee hebben om een audit van het bedrijf te degraderen tot een zelfverheerlijkende analyse.

Een Zweeds ingenieursbedrijf definieerde zijn ISO-certificering als bron van daadwerkelijk superieure projectuitvoering en stipte levering. In een competitieve B2B-context zijn een goede projectuitvoering en een stipte levering noodzakelijke en niet zozeer winnende factoren. Bovendien is een ISO-certificering het middenstandsdiploma van de toekomst, en vormt het absoluut geen onderscheidende competentie.

Indien u het bestaande businessmodel hebt geanalyseerd, is een grondige en rationele evaluatie vereist om de concurrentieslagkracht van uw onderneming in te schatten. Zo vond een van de auteurs, bij een bezoek aan Nashville, de volgende sticker op de *complimentary* USA Today die 's morgens aan de hoteldeur gedeponeerd werd: '*Hampton Inn was ranked highest in guest satisfaction among mid-price hotel chains with limited food service.*' Tja, zo kun je natuurlijk altijd wel ergens de beste zijn. De vraag die hier aan de orde is, betreft hoeveel mensen de telefoon daadwerkelijk opnemen met de wens een hotelkamer te boeken in een '*mid-price hotel chain with limited food service*'.

Waarde hebben, waarde krijgen (efficiëntie en toe-eigenbaarheid)

Een organisatie moet niet alleen waarde aan haar klanten leveren, maar ook aan haar aandeelhouders. Winst is nodig indien de klanten willen dat een bedrijf doorgaat met het leveren aan de markt. Als klanten erg tevreden zijn over de vluchten van een *low cost carrier*, moeten ze zich realiseren dat indien deze maatschappij niet *operationeel uitmuntend* is in haar bedrijfsprocessen, ze hun tickets de maand erop bij een andere luchtvaartmaatschappij zullen moeten kopen.

Wanneer een organisatie een duidelijk voordeel heeft ten opzichte van de concurrenten, zoals een aansprekender design, maar niet succesvol is om dit op een kostenefficiënte wijze te produceren, is de kans zeer reëel dat het product in de nabije toekomst een collectors item wordt.

Maar zelfs indien een bedrijf operationeel uitmuntend presteert, is het niet zeker dat het erin slaagt de waarde te verkrijgen. Dit heeft te maken met *toe-eigenbaarheid*. Laten we dit moeilijke begrip verduidelijken met een eenvoudig voorbeeld uit de Amerikaanse basketbalcompetitie. Fans van de NBA herinneren zich de staking van 1998. De onderbreking verlamde een groot deel van het seizoen, en eindigde pas op 2 februari 1999. Volgens sommigen was het feit dat deze volwassen schoolkinderen nóg meer geld eisten, ronduit obsceen.

Had hun weinig aanstekelijke gedrag iets te maken met een verkeerd geïnterpreteerd fin-de-sièclegevoel? Helemaal niet! Maar de sterren van de NBA zijn nu eenmaal niet de teams, maar wel de spelers. Wat baat het u eigenaar te zijn van de Chicago Bulls als Michael Jordan, Scotty Pippen en Dennis Rodman niet alleen de sympathie van het publiek krijgen, maar ook alle aandacht aan de financiële onderhandelingstafel? De mensen komen kijken naar de vedetten, niet naar het team. En Michael Jordan, zoals vele andere basketspelers, buit dit navenant uit.

Toe-eigenbaarheid refereert aan de mate waarin de onderneming daadwerkelijk de winsten kan incasseren die uit haar waardepropositie en de ermee samenhangende middeleninvestering voortvloeien. Twee tendensen maken toe-eigenbaarheid een kernthema in de bedrijfsvoering. Het groeiende belang van diensten plaatst toe-eigenbaarheid op menige beleidsagenda. Indien een aantal duurbetaalde topadviseurs het consultancybedrijf verlaat, wie is dan de eigenaar van de klanten? Daarnaast creëert de voortschrijdende samenwerking tussen bedrijven (allianties, netwerkorganisaties en samenwerking met complementors) ook op die interface de vraag wie zich de winst mag toe-eigenen. Installateurs van Cisco-routers verdienen voornamelijk op de service, niet op het product. Cisco beseft zeer goed dat de installateurs er zijn vanwege hen, en niet vice versa.

De belangrijkste les uit de briljante 'Intel Inside'-campagne was het feit dat David niet Goliaths slaaf hoeft te zijn, zo lang Goliaths klanten maar begrijpen wie ze écht nodig hebben. De pc-markt is homogener dan de markt voor zuivelproducten! De klanten kopen in feite een Intel-chip en Microsoft-software. Vaak kunnen managers en studenten zich niet eens het merk van hun pc herinneren. Ironisch genoeg staat dit merk duidelijk zichtbaar op het scherm, terwijl de chip en de software zich *inside* bevinden. De *inside* van de computer krijgt veel respect in de *outside* wereld.

Een tijdelijk recept (vergankelijkheid)

Vergankelijkheid verwijst naar de mate waarin de samenstelling van de middelen al dan niet een continue basis biedt voor concurrentie. In de jaren zeventig en tachtig beschouwden veel bankmanagers een dicht netwerk van filialen als een van hun belangrijkste activa. De lokale manager was een belangrijke persoon in het verhaal van de bank. De bankdirecteur was immers een succesvolle accountmanager avant la lettre. Hij kende de lokale mensen goed, zag ze tijdens de jaarlijkse barbecue, dronk een glaasje met hen tijdens de dorpskermis, en verscheen obligaat op bruiloften en begrafenissen van het lokale klantenbestand. In ruil hiervoor mocht hij rekenen op loyaliteit van zijn klanten.

Dit bleek een vergankelijke oplossing. De postmoderne klant houdt zich aan het eerste artikel in de grondwet van de vrije markt-economie: vrijheid van keuze. En de klanten vinden dit leuk. Ze belijden met zijn allen de principes van generatie X, nergens zo treffend verwoord als door Nirvana's Kurt Cobain: 'Here we are now, entertain us.'

Een gelijkwaardig recept (vervangbaarheid)

De opkomst van telefonie, en vooral van internet, schudde het bancaire landschap grondig door elkaar. Voorbij zijn de dagen dat u uw geld tijdens openingstijden komt opnemen. U belt uw bank, maakt geld over van de ene rekening naar de andere, boekt een vlucht naar Singapore via internet en betaalt met uw creditcard. Nadat u bent aangekomen in het Raffles Hotel, bestelt u de beroemde lokale cocktail, de Singapore Sling, en vraagt u zich af of u lokaal geld zult opnemen. Daarvoor gaat u naar de dichtstbijzijnde *flappentap*.

Onder *vervangbaarheid* verstaan we de mate waarin andere middelen een gelijkwaardig concurrentievoordeel kunnen creëren. Een voorbeeld. U wilt genieten van een welverdiende vakantie.

Geloof ons, niets voelt zo zalig aan als het kortstondig negeren van de economische context en dito woordenschat. Zoals aangegeven in hoofdstuk 3 hoeft u niet naar de winkel om professioneel advies te verkrijgen voor een goed vakantieboek. Tijdens het surfen op Amazon.com merkt u dat ze hun gigantisch grote database hebben gebruikt om het aankoopgedrag te peilen. Amazon.com is goed in staat uitstekende raad te geven. U ziet of hoort geen persoon, maar u verkrijgt waardevolle suggesties op basis van het koopgedrag van duizenden klanten als u en ik. De *vox populi* beheerst internet. U surft, u leert, u koopt.

Een vervangend recept (imiteerbaarheid)

Is u ook vaak het volgende overkomen? U bezoekt vrienden en geniet aldaar van een héérlijke maaltijd. Naderhand leert u van de heer of vrouw des huizes dat dit diner weinig kookkunsten vereist en dat de goede afloop altijd verzekerd is. Wij kennen de daaropvolgende routine uit het hoofd. Onze echtgenoten vragen het recept, en de volgende zes maanden dat we familie of vrienden op bezoek hebben, is dit het gerecht dat we verorberen.

Dit is precies wat er gebeurt in de vrije markt. Ondernemingen hanteren *recepten*[46] om waarde te creëren. Succesvolle recepten worden gekopieerd. Palm vernieuwde de PDA-markt, maar werd vlug gekopieerd door andere ondernemingen. Nokia verraste de concurrenten met een aantrekkelijk ontwerp. Ondertussen slagen Motorola, Siemens, ja, zelfs Sony-Ericsson erin om een aantrekkelijk design op de markt te brengen.

Kopiëren doet pijn, maar is, voorzover het legaal gebeurt, een basisrecht in de vrije markteconomie. Marie Jo vernieuwde de lingeriemarkt, maar wordt in de marketingcommunicatie uitbundig gevolgd door anderen. Lingerie kan écht wel het straatbeeld veranderen!

Wegwijzers

1. Een duurzaam concurrentievoordeel verschaft blijvende waarde aan de klant en de onderneming.
2. Niet investeren in gerichte vernieuwing verzekert u van een ticket voor de *ratrace*.
3. Een duurzaam concurrentievoordeel vereist superieure middelen.
4. Een onderneming haalt winst uit een concurrentievoordeel indien het een efficiënte en toe-eigenbare waardepropositie heeft.
5. Een hoge vergankelijkheid, imiteerbaarheid of vervangbaarheid eroderen het concurrentievoordeel.

HOOFDSTUK 11

Born to be wild

De toekomst in een businessmodel

'Ontdekken is zien wat iedereen ziet, en denken wat niemand denkt.'

Albert von Szent-Gyorgy

Anderhalf jaar geleden verzorgden we een intern opleidingsprogramma voor een elektronicaproducent. Net als andere businessschools leggen we onze belangrijke klanten in de watten. Dit betekent dat het verblijf en de communicatie optimaal aangepast worden aan de wensen van de steeds drukkere manager. We weten niet of we de klant daarmee een echte dienst bewijzen, maar soms geven we wat de klant wenst, niet wat de klant nodig heeft.

Zo verging het ons in ieder geval bij deze onderneming. Tijdens de pauze spurtte menig deelnemer naar de computers om via e-mail nieuws te vernemen over het Franse thuisfront. Na de pauze slenterden ze terneergeslagen de collegezaal in. Wat bleek? Vanwege de doorzettende negatieve trend in het bedrijf werd het marketingbudget hic et nunc met 30 procent gekort en werden alle internationale zakenreizen opgeschort. Een aantal Franse, Bourgondisch ingestelde deelnemers vroeg zich beteuterd af of dit nu betekende dat ze nog twee weken de Nederlandse lunches dienden te doorstaan.

Toen 's middags de drie werkgroepen elk hun toekomstig bedrijfsmodel presenteerden, was het voor elke outsider duidelijk dat er weinig nieuws onder de zon was. De gevraagde bedrijfsmatige grensverlegging had blijkbaar dicht bij het bestaande front plaatsgevonden. Op onze vraag wat de kans was dat een concurrent na anderhalf uur brainstormen, onder het genoegen van een glas goede wijn, met een vergelijkbaar bedrijfsmodel op de proppen zou komen, klonk het doodleuk: '99 procent'. Zonder differentiatie krijg je klappen, en die beperken zich niet tot een tijdelijke reductie van een marketingbudget. Een van hun grootste Europese vestigingen werd recent gesloten. Dood-leuk?

Meer waarde door verder denken

Al te veel van het huidige marketingdenken staart zich oeverloos blind op het kwartaalgestuurde hier en nu. In november 2002 drukte het Global Future Forum ons met de neus op de feiten: managers denken niet verder dan hun neus lang is. Het lijkt soms alsof de tijd tussen een 'ist'- en een 'soll'-situatie – waar bevindt de onderneming zich nu en waar moet zij naartoe? – een velletje verschil op een scheurkalender behelst. Een dergelijke strategische bekrompenheid draagt misschien wel bij tot de operationele perfectie van de huidige marketingactiviteiten, maar verstevigt überhaupt niet de toekomstige concurrentiekracht. Een marktstrategie mag zich niet alleen toespitsen op het heden, maar moet tevens de basis leggen voor het toekomstige concurrentievermogen. Dit is wat we verstaan onder het begrip 'visionaire marketing': *de planning en implementatie van marketingactiviteiten op een dusdanige wijze dat de huidige en toekomstige concurrentieslagkracht geoptimaliseerd wordt.*

In het licht van de vorige hoofdstukken betekent visionaire marketing dat een onderneming voor een gekozen doelgroep een uitmuntende klantwaarde definieert en realiseert, en tegelijkertijd een uitmuntende meerwaarde behaalt voor aandeelhouders en werknemers.

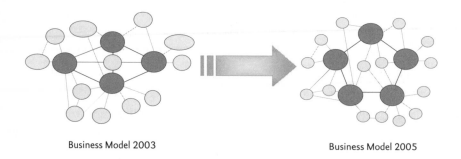

Business Model 2003   Business Model 2005

Business innovatie: de reis naar een Nieuw Businessmodel

Visionaire marketing vereist het evalueren en herdenken van het huidige concurrentievoordeel, en het ontwerpen van een optimaal bedrijfsmodel voor de toekomst. *Bedrijfsinnovatie is in zijn pure essentie een reis van het ene bedrijfsmodel naar het andere bedrijfsmodel!* Een strategisch project behelst een optie die, op basis van diverse evaluatiecriteria, geselecteerd werd voor implementatie. Er worden middelen in geïnvesteerd. Het schuift aldus door van een idee ('een optie') naar een consistente set van activiteiten.

Waar is onze toekomst?

De eerste vraag die beantwoord dient te worden: waar wenst de onderneming te concurreren? We hebben het daar reeds over gehad in hoofdstuk 7.

Laat ons een belangrijk standpunt herhalen: een groeimarkt is niet noodzakelijkerwijs interessant voor uw onderneming, en een volwassen markt is niet noodzakelijkerwijs oninteressant. Zo kwam Donaat Pans van Egemin tot de conclusie dat in product-marktcombinaties met één onbekende (óf een nieuwe markt, óf een nieuw product, maar niet beide tegelijkertijd) 20 van de 25 initiatieven in de periode 1983-1998 succesvol waren. Van de 400 zogenaamd briljante ideeën (nieuwe producten voor nieuwe markten) in dezelfde periode werden er slechts 3 tot een succesvolle beëindiging gebracht.

Een markt op zich is niet aantrekkelijk of onaantrekkelijk. De centrale vraag is of de onderneming in de gekozen markt een concurrentievoordeel kan opbouwen, en daarmee op de geboden kansen kan kapitaliseren.

De dotcomimplosie illustreert dit volledig. Indien een marketeer een plan voorstelt waarin e-commerce een centrale plaats inneemt, begint spontaan het vermelden van diverse bronnen (Dataquest, Forrester Research, Gartner Group, Merrill Lynch, Ovum, Yankee Group, et cetera) om de gigantische groei in de voor-

gestelde markt te bewijzen. Meestal betreffen de voorgestelde groei-
cijfers een positieve en exponentiële curve op basis van wel zeer
schrale gegevens. Op basis van een observatie van het afgelopen jaar,
een schatting voor het huidige jaar, worden zeer steile verwachtingen voor de toekomst geprojecteerd. Alsof deze bronnen op zich het
plan geloofwaardig maken!

Geen wonder dat deze scenario's vaak ronduit verkeerd uitpak-
ken. Zo merkte Hermann Simon[47] na een vergelijking van sterk uit-
eenlopende prognoses op: 'Geloof de cijfers over e-business niet – ze
vormen een opgepepte manipulatie van de bestaande feiten. Het
probleem is dat journalisten deze cijfers publiceren, mensen deze
cijfers geloven, en deze cijfers ons bijblijven alsof ze in beton gegoten zijn.'

Zelfs indien de groei een reële groei betreft, en niet het resultaat
is van een uit de hand gelopen cijfermatige extrapolatie, ligt winnen
niet voor de hand! Vaak kennen dergelijke markten een grote technologische en strategische onzekerheid. Welke richting zal de
UMTS-standaard ('Uitgesteld Maar Toch Sexy') uit gaan? Er zijn
vaak hoge initiële kosten verbonden aan toetreding tot dergelijke
markten, die een flexibele bijsturing bemoeilijken. De kopers moeten vaak nog 'opgevoed' worden om het nut en het gebruik van de
nieuwe technologieën en diensten te leren kennen.

Bovendien worden dergelijke industrietakken vaak gekenmerkt
door een grote mate van turbulentie, en zijn zij het onderwerp van
internationale regelgeving. Vandaar ook het belang van standaar-
den. Iedereen heeft dit ondertussen ingezien. Als gevolg daarvan
vechten nu consortia van ondernemingen de strijd om de standaard
uit (bijvoorbeeld bij de beschrijfbare DVD's).

Zulke industrietakken hebben niet alleen te maken met internationale regelgeving, maar ook met hoe zij in hun eigen land worden
bejegend. Zelfs in ontwikkelingslanden zullen er ministers rondlo-
pen die micro-electronica tot het aandachtscentrum van de toekomst willen maken. Vaak is het in die industrietakken een wirwar

van kleine start-ups en grote spin-offs.

We hebben daarnet reeds aangegeven dat volwassen markten niet per se oninteressant zijn. Ze verschillen echter fundamenteel van groeimarkten. De cruciale fase is niet zozeer wanneer de markt verzadigd is, maar wanneer de groei in de markt afneemt. Het is dan niet mogelijk uw optimistische verkoopprognoses te halen door het behouden van het marktaandeel in een groeiende markt, maar wél door het veroveren van marktaandeel in een stagnerende markt. Dit veroveringsproces gebeurt vaak door een drastische verlaging van de prijs. Bovendien hebben, zeker in industriële markten, de klanten een beter inzicht in de werkelijke kosten. Dit is de 'shake-out'-fase die elke industrie meemaakt. Je mag die gerust de 'sweatshop'-fase noemen. Deze fase gaat immers vaak gepaard met het uitzweten van overtollige inefficiënties om de resolute prijsdalingen leefbaar te kunnen houden. De marges van het distributiekanaal nemen af, maar zijn macht neemt toe. Zonder duidelijk concurrentievoordeel en bij gebrek daaraan zonder een duidelijk kostenvoordeel, krijgt de onderneming klappen. Indien de klappen hard genoeg zijn, gaat zij nogal eens over tot 'een strategische beslissing de industrie te verlaten'. Zo kun je het begrip strategie ook hanteren, als doekje voor het bloeden.

In deze fase moet u duidelijke keuzes maken, zowel wat betreft de prijsstelling, als wat betreft samenstelling van het assortiment, selectie van de klantenportefeuille, capaciteitsplanning en marktuitbreiding.

Creëer je toekomst

Een goed planningsproces start met een creatieve fase, gevolgd door een rationele analyse. Vaak observeren we het tegenovergestelde. Een groep managers, in driedelig maatpak gehesen, maakt een perfect rationele analyse, stelt een aantal kleine verbeteringen voor, en viert zijn creativiteit bot in de uitdagendste presentaties.

Bij een goed plan telt niet zozeer de verpakking als wel de inhoud. Het is beter een utopisch plan te bedenken en er de realistische opties uit te selecteren dan te proberen met een realistisch plan utopische prestaties neer te zetten. Maar hoe kunnen we dan creatieve strategieën gaan creëren? We geven hier een overzicht van een aantal instrumenten dat nuttig kan zijn.

Een eerste mogelijkheid bestaat in *trendspotting*. Wat zijn de belangrijkste trends waar uw bedrijf rekening mee dient te houden? Welke nachtmerries (bedreigingen) en geschenken (kansen) melden zich aan in uw markt?

Veel bedrijven maken echter op volstrekt apathische wijze, bijna uit de macht der gewoonte, een nietszeggend boodschappenlijstje op van zogenaamd belangrijke trends, waar ze vervolgens een volstrekt platonische relatie mee hebben. Geloof ons: onafhankelijk van de sector zie je heel vaak dezelfde thema's terugkeren (globalisering, deregulering, impact van IT...) en dezelfde inertie. Indien een onderneming de trends op een rijtje heeft, krijgt er dan iemand – excuses voor de beeldspraak – een orgasme van?

Waarom gaat men niet eens uit zijn dak? En denk eens verder dan de onmiddellijke omgeving. Plastische chirurgie is, net als gezonder leven, wel degelijk een substituut voor veel cosmetica.

Het tijdig signaleren van trends en deze positief benaderen vormen een goed vaccin voor doemdenken. Bedreigingen zijn immers vaak kansen waar u met uw onderneming niet tijdig of niet adequaat op gereageerd hebt. Zo heeft de muziekindustrie nog steeds moeite met de aanvaarding van internet. Popartiest Prince – die ooit als 'The Artist Formerly Known As Prince' aan den lijve ondervond dat een nieuw merk maken aartsmoeilijk is – maakt nu furore met zijn onlineclub (hoofdstuk 4). De omzet zal misschien minder zijn, maar het binnenhalen en het behouden van de gecreëerde waarde is des te groter.

Wild denken is minder makkelijk dan het lijkt. Enerzijds vraagt men zich af of minder ruimdenkende collega's dergelijk afwijkend gedrag tolereren. Anderzijds is het hartstochtelijk moeilijk de bestaande denkkaders te overstijgen. 'We weten dat de printers er in de toekomst totaal anders uit moeten zien, maar ik kan mijn toekomstbeeld niet loskoppelen van de printers die we nu verkopen', zo gaf een marketing manager van Canon ooit aan. Iedere manager wordt geconditioneerd door de context waarin hij of zij werkzaam is. Dit creëert enerzijds een comfortabele werkplek, maar in tijden van verandering mondt dit evenzeer uit in disfunctionele navelstaarderij. Zo is ons tijdens ons advieswerk vaak opgevallen dat ondernemingen in recent geliberaliseerde markten (energie, spoorwegen, telecom, contractonderzoek) kansen en bedreigingen als *interne* factoren zien (denk aan het verlopen van patenten, tekort aan personeel, bureaucratische structuur). André Leysen, voormalige topman van Agfa-Gevaert, merkte ooit terecht op dat in sommige organisaties het kalk zich niet alleen in de muur bevindt...

Nog een manier om hier verder mee te komen is de *omkeeroefening*. Eerder gaven wij al aan (hoofdstuk 8) hoe u op basis van de sterkten van de onderneming kunt komen tot de identificatie van uw concurrentievoordelen. Op zich is dat al een intensieve oefening. Een van onze klanten vroeg onlangs of we tijdens de sessie aandacht zouden schenken aan de zwakten van de onderneming. Ons antwoord was een gereserveerd 'ja', omdat u door het praten over de zwakten van uw organisatie het gezellig ongezellig kunt maken. Met andere woorden: op een gegeven moment denkt u met uw team dat er niets meer deugt aan uw organisatie, en werkt u uzelf in een dip.

Dit alles verteld hebbende, wilde onze klant toch de zwakten van zijn organisatie bespreken. En soms zijn we niet te beroerd om de klant te geven wat hij wenst... maar dan wel op onze eigen manier! U hebt het al begrepen, wij houden niet van het opstellen van lijstjes. Lijstjes leiden tot ellende, u moet er iets zinvols mee doen. Een analyse bijvoorbeeld. Hier is ons voorstel. U neemt een wyte board, een schoolbord of een flip-over, en een hele massa Post-its in uw favoriete kleur. U maakt een nieuwe 2 bij 2-matrix. De horizontale as geeft aan wat uw zwakten voorstellen in termen van wat in uw industrietak normaal is. Zwakten zijn in feite kritische succesfactoren ('tickets to ride') waar uw onderneming een onvoldoende op scoort. Deze as loopt dus van 'op het niveau van de concurrentie' via 'beneden peil' tot 'ver beneden peil'. De verticale as geeft de échte kosten en/of de opportuniteitskosten weer van elke zwakte. Elke zwakte noteert u op een Post-it. En elke Post-it plakt u ergens in de vier kwadranten; op de lijnen mag ook, natuurlijk.

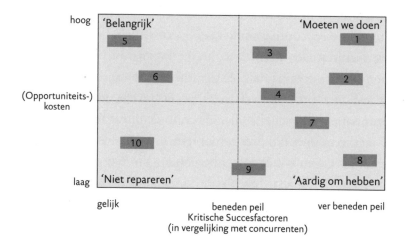

Geef een Strategische Richting aan het Analyseren van uw Zwakten

Wat hebt u nu? Allereerst een overzicht van de zwakten van uw onderneming. Goed om te weten! Ten tweede: u hebt een gezamenlijke discussie over de mogelijke gevolgen van elke zwakte. Op deze manier creëert u een noodzakelijk bewustzijn omtrent de toestand van uw organisatie. Met andere woorden: iedereen weet wat er aan de hand is. Ten derde, door de plaats van elke zwakte in de matrix, weet u meteen welke richting u uit moet met de zwakten. Soms hoeft u niets te doen, en soms is onmiddellijke actie geboden.

Een derde manier is de *parkeerplaatsoefening*. De verbeeldingskracht van een kind is ongelooflijk. Hoe ouder we worden, hoe meer we weten, en hoe minder we kunnen fantaseren. Wanneer we ons werkplunje aantrekken, laten we niet alleen onze vrije tijd achter, maar ook onze vrije geest.

Waarom eens niet fantaseren zoals kinderen dat kunnen? Ga eens met een multifunctionele groep van collega's aan de slag. Beeldt u in dat het niet november 2003 is maar, zeg, november 2006. Het bedrijfsmodel dat u in 2003 bepaalde, hebt u als doelstelling voor 2006 volledig gerealiseerd, en werkelijk ongelooflijk succesvol. U parkeert uw auto voor de ingang van uw onderneming en gaat vervolgens naar binnen. Droom vervolgens eens, met de groep, hardop. Welke medewerkers ziet u? Met wie praat u? Wie zijn uw klanten? Welke producten en diensten verkoopt u? Waarover praat u met uw klanten? Een aanpassing van deze parkeerplaatsexercitie is het *krantenartikel*. Er wordt aan uw team gevraagd een lovend artikel te schrijven anno 2006 naar aanleiding van de uitstekende resultaten.

Maak de afspraak dat later niet teruggekomen wordt op de fantaseerfase. U en uw collega's stellen zich immers telkens zeer creatief, maar evenzeer kwetsbaar op. En dan moet u zich veilig voelen, en u veilig kunnen uiten.

Wanneer u dit deel van de oefening hebt afgewerkt, vertaalt u vervolgens het toekomstbeeld in een businessmodel. Sommige onderdelen zullen niet haalbaar zijn. Andere elementen daarentegen zullen kleine juweeltjes zijn. U moet uzelf de vraag stellen: wat is de kans dat, indien de concurrenten nadenken over de toekomst, zij met een vergelijkbaar idee op de proppen komen? Niet al uw strategische projecten hoeven onaantastbaar te zijn, maar minstens één of twee projecten moeten erop gericht zijn de concurrentie het nakijken te geven.

Bedelen, stelen of lenen

Er is niets verkeerd aan om een goed idee te ontlenen aan andere ondernemingen in de markt. In het uitdenken van de toekomst is 'a twisted mind a joy forever'. Indien een andere onderneming – desnoods in een totaal andere sector dan die van u – een goed concept heeft, evalueer dan eens grondig en met een onbevooroordeelde geest of dit ook in uw bedrijf niet dienstbaar kan zijn. Er zijn nog enkele andere methoden om een concurrerende toekomst te verbeelden.

Waarde-innovatie. Kunt u niet de waardepropositie van twee verschillende businessmodellen integreren[48]? Zo combineert Nokia gebruiksvriendelijke mobiele telefonie met op modetrends gebaseerde afwisseling en een community feeling onder de jeugd. De financiële software van Quicken was even accuraat en even snel als andere financiële software, maar zonder de zelden gebruikte features. Dit stelde Quicken in staat financiële software even gebruiksvriendelijk en goedkoop te maken als de pen (het meest gebruikte alternatief!) en even accuraat en snel als de andere software. Waarom bouwt men geen dictafoon standaard in een mobieltje in? In het zakelijk segment hebben managers behoefte aan een extern geheugen!

Herontwerpen van de aankoopcyclus. Grosso modo kunnen we een onderscheid maken tussen de pretransactie-, de transactie- en de posttransactiefase. Nogal wat managers pinnen zich vast op de transactiefase. Maar misschien kunt u het concurrentievoordeel naar andere fasen in de aankoopcyclus vertalen. Zo maken veel docenten op businessschools gebruik van Harvard-cases, niet omdat ze beter zijn, maar omdat inzagekopieën van de case en de bijhorende 'teaching note' online verkrijgbaar zijn. De 'European Case Clearing House', de grote concurrent, heeft vergelijkbare cases, maar excelleert niet op het pretransactiemoment. Nu zijn academici al heel vaak chaotische zielen, dus een online beschikbaarheid wordt ten zeerste gewaardeerd! Andere instituten beginnen Harvard te volgen, maar niemand wedijvert tot op heden met de gebruiksvriendelijkheid en het imago van Harvard.

Concurrentiemapping. Men kan ook concurrerende ondernemingen mappen op diverse dimensies (product, klantenproces, imago, prijs). Het is in dit geval aanbevelenswaardig bedrijven op te nemen van diverse allure. Voor grote bedrijven kunnen kleinere concurrenten heel leerzaam zijn. Het grotere bedrijf zal misschien niet alle elementen van de strategie kunnen of willen overnemen, maar misschien zijn er een aantal ideeën die voor grotere ondernemingen zeer interessant kunnen zijn.

Verlichte voorbeelden. Zo waren we ooit betrokken bij een adviesopdracht voor een chemisch bedrijf. Nadat medewerkers in de vier divisies de tour d'horizon gemaakt hadden van de strategische projecten voor de toekomst, werd deze tijdens een plenaire vergadering onder de loep genomen. Hierbij viel ons het gebrek aan originaliteit op. Met een goed glas Duvel kan elke outsider ook dergelijke short lists verzinnen. We stelden hen voor om eens te denken aan andere bedrijven die erin geslaagd waren nieuwe markten te creëren en grote marktaandelen in de gecreëerde markten te veroveren (een basiskenmerk van de strategie van deze onderneming). In een eerste fase kwamen oplossingen dicht bij de deur op: Cisco Systems, Intel, Microsoft, Omega Pharma. Die week stonden echter ook de Beatles opnieuw op nummer 1, met de cd met de toepasselijke naam '1' (een collectie van hun nummer 1-hits). Toen we dat als een mogelijk voorbeeld suggereerden, kwamen nog heel wat andere voorbeelden los uit de groep: the Body Shop, Disney, Kabouter Plop, McDonald's, Pokémon, Volkswagen. Na een analyse van wat deze ondernemingen of merken uniek maakte, bleek dat vooral Pokémon een uitermate interessant voorbeeld was. 'Gotta catch 'em all' is een juweel van cross-selling, een van de doelstellingen die dit bedrijf wilde realiseren. Op dat ogenblik is het gewenst om de kinderlijke Pokémon-context te abstraheren en te focussen op de differentiërende processen.

We geven toe, er is een gevaar voor decontextualisatie. Al bestuderen we James Bond terdege, het gevaar is reëel dat we, 'eu-feministisch' uitgedrukt, een averechts effect bereiken... Zolang men zich bewust is van de onderliggende assumpties en de beperkingen in de context, is er op zich niets fout aan omzien in verwondering naar succesvoorbeelden in andere sectoren.

Wegwijzers

1. Visionaire marketing betekent vandaag geld verdienen, en tegelijkertijd bouwen aan het businessmodel van de toekomst.
2. Een groeimarkt is niet noodzakelijkerwijs interessant voor uw onderneming, en een volwassen markt is niet noodzakelijkerwijs oninteressant.
3. Wild denken is nodig om uw toekomst te creëren.
4. Creativiteit en analytisch vermogen zijn even belangrijk.
5. U hebt geen goed idee? Bedel, steel of leen er een.

HOOFDSTUK 12

De zoektocht naar klassiekers

Productdifferentiatie

'Innovatie. Je kunt niet eeuwig blijven innoveren. Ik wil klassiekers creëren.'

Coco Chanel

V raag eens aan een collega, een kennis of gewoon thuis wat men zich kan voorstellen van een firma als Mercedes, Nokia of Philips. De kans is groot dat men met een antwoord komt waarin een product van die firma's centraal staat. Het is daarom niet verwonderlijk dat het eerste element waarmee een bedrijf zich kan differentiëren, het product of de dienst is.

Klinkt eenvoudig, maar dat is het niet. Wat is het verschil tussen een Harley Davidson-motorfiets en iedere andere Japanse motor die zichzelf als 'chopper' positioneert? Een hamburger is een hamburger is een hamburger. Toch biedt McDonald's vrijwel dezelfde kwaliteit in steden als San Francisco, Tokio en Moskou. Wij weten het, we hebben het in elk van deze steden uitgeprobeerd. Zelfs de Franse frietjes smaken alsof ze gemaakt zijn van dezelfde aardappel.

In dit boek vindt u vele voorbeelden van diensten en producten. Succesvolle en geflopte, Europese en Amerikaanse. U zou daarom zomaar de indruk kunnen krijgen dat we diensten en producten belangrijk vinden! Niets is minder waar. In feite vinden we dat diensten en producten onbelangrijk zijn. Vindt u dat jammer om te horen? Wellicht wel, want u verdient uw brood door het produceren van diensten of producten, of het faciliteren van de productie of het gebruik ervan.

Producten en diensten vervullen een hoofdrol

Diensten en producten dienen maar één doel: de klant van een ongewenste toestand naar een gewenste toestand brengen. In de consumentenwereld betekent het dat je een Duvel neemt na een dag hard werken. In de B2B-wereld betekent het dat je vele kuub plastic korrels bestelt als je emmers wilt maken.

Wat we in feite doen met diensten en producten is *de klant helpen met zijn consumptie- of productieprocessen*. In het voorbeeld van Duvel lijkt het heel duidelijk – de brouwer produceert het bier, levert aan een groothandel of direct aan de detailhandel, en u pakt het in de supermarkt of bij de slijter van het schap. Goed koelen, openen, voorzichtig inschenken en genieten! Het productieproces van de brouwer en de dienstverleners tussen hem en u maken het mogelijk dat u van de Duvel geniet. U consumeert, zij produceren. Maar de Duvel-drinker produceert ook. Welbevinden, genot, het valt allemaal onder wat we huishoudelijke economie noemen! Huishoudens produceren welbevinden, geluk, opvoeding en uiteraard een hoop afval.

Wanneer u in een B2B-omgeving werkt, werkt u er ook aan dat uw klant, of deze nu extern of intern is, zijn consumptie- of productieprocessen kan uitvoeren. Een controller geeft aan op welke indicatoren hij een organisatie wenst te sturen, zodat een van zijn klanten, de directie, een goed financieel overzicht van de bedrijfsactiviteiten kan ontvangen.

Uw verzekeringspremie voor de toekomst

Daarom is het van belang om te blijven innoveren. Vernieuwing van producten en diensten zou een blijvend aandachtspunt moeten zijn voor het management team. Maar toch, Coco Chanel had gelijk. Na jaren van onderzoek naar en consultancy voor bedrijven verontrust het ons nog steeds in hoge mate dat innovatie, op de manier waarop het wordt uitgevoerd, de minst duurzame vorm van concurrentievoordeel biedt.

Denk aan mobiele telefoons. Vele spelers in de markt hebben innovatie gedegradeerd tot het aanbrengen van toeters en bellen: een extra dingetje hier, een extra dingetje daar. Wat is hiervan het gevolg? Wanneer deze extra's uiteindelijk klanten weten aan te trekken, maken de concurrenten ze meteen na. Wat een verspilling van middelen!

We hebben een keer een innovatie-audit uitgevoerd voor een leverancier in de luchtvaartindustrie. Het bedrijf was marktleider en had een aandeel van 16 procent op de wereldmarkt. Toen we het hoofd van de ontwerpafdeling interviewden, vroegen we hem: 'Erik, hoeveel procent van jouw ontwerpinspanningen is bedoeld voor strategische ontwerpprojecten?' Onmiddellijk antwoordde hij: 'Goh jongens, jullie maken het me wel moeilijk. Mag ik deze vraag ook beantwoorden in promille?' Na afloop gebruikte hij de technische tekeningen als benadering om de investeringen te berekenen, en hij kwam tot de ontnuchterende conclusie dat 0,2 procent van de ontwerpinspanningen bedoeld was voor een baanbrekend ontwerpproject. Ja inderdaad, twee promille. Het ging om een project voor British Airways, dat ironisch genoeg, pas achteraf werd gezien als echt strategisch project... We hebben niet meer nagevraagd bij British Airways of ze deze mening over het 'nieuwe' aanbod deelden.

TBC is een ziekte

Vandaag de dag ligt de nadruk nog altijd op tijdsgebaseerde concurrentie. Het is een wedstrijd en het gaat erom de snelste te zijn. Als gevolg hiervan ziet iedere manager zichzelf als de nieuwe Michael Schumacher, die de concurrentie voor blijft door steeds sneller te gaan.

Eigenlijk weten we niet zeker of dit altijd wel een toepasselijke metafoor is om over de ontwikkeling van producten en diensten na te denken.

Het acroniem van 'Time-Based Competition' is nog steeds een ziekte. TBC komt weer op en zo te zien niet alleen in de medische wereld. Wat voor concurrentievoordeel biedt het u om innovatie na innovatie te lanceren en 'vanuit concurrentieperspectief gezien op dezelfde plaats te blijven staan'? Ironisch genoeg waren de mensen

die het concept 'Time-Based Competition' zo'n beetje hebben uitgevonden, een aantal jaren later nogal kritisch over de toepassing van
juist deze strategie[49].

Laten we ons standpunt verduidelijken aan de hand van een
voorbeeld. Stelt u zich voor, u wint de loterij. Na uw hele leven lang
een fatsoenlijk bestaan te hebben opgebouwd, besluit u eens uit uw
dak te gaan en iets geks te doen. U verzint een quiz. U besluit een
willekeurige selectie van 20 Europese en 20 Japanse auto's te kopen
die er in de afgelopen 25 jaar gemaakt zijn. Na de auto's te hebben
ontdaan van alle emblemen en logo's, laat u ze op aparte parkeer-
terreinen neerzetten. Vervolgens organiseert u een quiz voor uw
vrienden: 'Van hoeveel auto's kunt u vertellen welk merk het is?' Het
gemiddelde antwoord dat we krijgen ligt tussen de 80 en 90 procent
voor Europese auto's en tussen de 5 en 10 procent voor Japanse
auto's. Voor het geval u hier bezwaar tegen maakt: 'Ja lekker makkelijk, een Europees publiek vragen naar Japanse auto's. Geef die
mensen alsjeblieft een eerlijke kans!' Mogen wij u er dan aan herinneren dat het marktaandeel van Japanse auto's in West-Europa echt
wel substantieel is. Daaraan kunnen we toevoegen dat we mensen
zijn tegengekomen die de ene Japanse auto niet van de andere konden onderscheiden, maar er wel zelf in één reden!

Heeft een vijf jaar oude Honda, Mitsubishi of Toyota een duidelijk herkenbaar profiel? Een Audi van vijf jaar oud is nog steeds
een stijlvolle auto. De Lexus was bij zijn introductie in de VS meteen
een hit. De tweede versie was niet zo'n klassiek succes. Waarom niet?
Nou, hij werd luttele jaren na het eerste model gelanceerd. Weinig
mensen zijn geïnteresseerd in een dure luxe auto die de tragische
eigenschap heeft om binnen drie jaar verouderd te zijn.

Betekent dit alles dat we een hoog tempo in een bedrijf niet
weten te waarderen? Nee. Waar wij u deelgenoot van willen maken
ligt iets genuanceerder: 'Time-Based Competition' gaat niet om het
snel zijn op zich, maar over het op tijd op de markt zijn. Denkt u
eens aan de laatste keer dat u een hifiwinkel binnenstapte. Goede

genade, dat is echt een muur van geluid waar u naar kijkt. Al die geweldige apparatuur, al die decibels. Wat een diversiteit! Alhoewel, deze diversiteit heeft iets treurigs over zich. Er zijn zoveel modellen op de markt dat er een oxymoron is ontstaan: uniforme diversiteit. Met uitzondering van Bang & Olufsen en Bose laat geen van de ontwerpen echt een onderscheidende indruk achter. Misschien komt u er net als wij achter: wanneer u een of ander hifiapparaat wilt aanschaffen, zijn het niet de talloze technische specificaties die uw keuze bepalen, maar de kleur van de voorkant en het volume. Voor ons was de meest essentiële afweging: 'Stel dat alle designs er ongeveer hetzelfde uitzien, welke past er op de boekenplank in de studeerkamer?'

Daarom is de Nokia 6110 een echte klassieker! Dit succes heeft geleid tot een ander inzicht in industrieën. Vandaag de dag praten we natuurlijk niet meer over klassiekers. De modewoorden die managers schijnbaar willen horen zijn snel, hightech, verandering... Vandaag in Tokio, morgen in Vancouver (met de verplichte stopover in Anchorage) en dan een beetje ontspanning in Parijs. Producten dienen een volledig spectrum aan attributen te bieden, te presteren met de snelheid van het licht, en ze moeten ontwikkeld zijn in cycli van nanoseconden. Welkom in de wereld van de hightech, het Disneyland voor hedendaagse ondernemers. Oftewel de markt voor zelfstandig gevestigde gepromoveerden met een visie om industrieën te vernieuwen op basis van technologie. In de afgelopen tien jaar waren we zo gelukkig om velen van hen te mogen ontmoeten. Het was altijd leuk om met hen te praten.

Echter, we moeten ons wel de recente dotcomimplosie blijven herinneren. Men dacht dat het andere spelregels zouden zijn, maar het blijven wel economische spelregels! Een bedrijf dat een nietwinstgevende strategie volgt, kan wachten op zijn faillissement. Kan iemand zich WAP nog herinneren? Waar stond dat ook alweer voor? Wireless Application Protocol. Echt waar! 'Wrongfully Augmented Phone' klinkt beter.

Minder is meer

Wanneer het op hightech aankomt is het magische woord 'meer'. Een marketingmanager vertelde ons een keer dat hij de Bulgaarse en Hongaarse markten voor industriële radiatoren aan het verkennen was. Hij ondervond: 'Hé, ze willen minder presterende en goed-kopere producten. Weet je, wij als ingenieurbedrijf zijn erg goed in het upgraden van producten en niet in het downgraden ervan.' Met alle respect, maar wanneer je een product ontwerpt dat beter aan de klantbehoeften voldoet, is het altijd een upgrade, nooit een down-grade! Hoe een upgrade eruitziet wordt bepaald vanuit het stand-punt van de klant, niet vanuit het perspectief van de ingenieursstaf of de marketingstaf.

Velen van u herinneren zich nog hoe het er in de goede oude tijd aan toe ging op het moment dat u een kopie nodig had. U ging naar het kopieerapparaat – toen nog Xerox genaamd –, toetste het aantal kopietjes in dat u wilde, drukte op de grote groene knop om het apparaat te starten, en drukte op de grote rode knop in het geval er wat mis ging. Wanneer er iets mis ging, opende u, zonder enige trai-ning hiervoor, het apparaat en trok het gekreukelde papier tussen de rollen uit. Tegenwoordig heten kopieerapparaten geen Xerox meer. Nu is het ook zo dat wanneer er naast uw kamer zo'n nieuw appa-raat staat, u het ding altijd wat bedeesd benadert. U realiseert zich angstig dat op het moment dat u ermee gaat werken, er van alles mis kán en waarschijnlijk ook zál gaan. Wanneer dit gebeurt, hebt u bijna een doctorstitel in de kopieerkunde nodig, alsmede een vijf-daagse praktijktrainingssessie om de schade te herstellen.

Veel bedrijven kijken naar het machtige Microsoft en passen dezelfde strategie toe: 'one size fits all'. Hoeveel mogelijkheden gebruikt u bijvoorbeeld daadwerkelijk van het veelzijdige program-ma MS Word? Wanneer u nog nooit hebt deelgenomen aan een driedaagse trainingssessie, is het antwoord waarschijnlijk 'niet veel'. Een rechttoe, rechtaan segmentatie kan leiden tot de volgende markt: uitgevers, administratieve medewerkers en mensen als u en wij. Omdat Microsoft een virtueel monopolie heeft in deze markt, ontwerpt het een product dat voldoet aan de behoeften van de eerste twee groepen en verkoopt hetzelfde product aan de laatste groep.

Bent u een monopolist? En komt u weg met deze truc? Wij durven de weddenschap aan te gaan dat de meesten van u dit niet kunnen. 'Je kunt segmenten niet managen door gemiddelden te nemen'(Kenichi Ohmae), werd reeds uitgebreid toegelicht in hoofdstuk 6.

Wie claimt de klant?

Er zijn al vele liters inkt geïnvesteerd in het beschrijven of het in twijfel trekken van het voordeel voor de eerste op de markt. Er zijn zeker voordelen voor bedrijven die als eerste op de markt komen. Empirisch blijkt dat statistisch gezien de eerste op de markt qua marktaandeel in het voordeel is[50].

Het beste product wint echter zelden! Apple heeft de industrie gecreëerd (Apple II), de industrie opnieuw ontworpen (Macintosh), en blijft deze opnieuw ontwerpen (iMac). Eerlijk gezegd bood de Apple Macintosh tien jaar geleden al het soort gebruiksvriendelijkheid dat pas sinds kort voor de pc beschikbaar is.

Hoe kan het dan dat Apple een klanttevredenheid scoort van bijna 100 procent en een marktaandeel van bijna 0 procent? Hoe dit kan? Nou, de meeste hightech en informatiemarkten kun je karakteriseren door 'de winnaar pakt alles'-strategieën. Die industrieën kenmerken zich door erg hoge initiële ontwikkelingskosten, netwerkexternaliteiten (het product, bijvoorbeeld PowerPoint, wordt bruikbaarder, naarmate meer mensen hetzelfde product gebruiken), en gewenning van de klant (u wilt toch ook maar één keer leren werken met PowerPoint?).

Het is kortom een markt waarin, wanneer de klant er eenmaal door gegrepen is, de sterken alsmaar sterker worden en de zwakkeren alsmaar zwakker. In de meeste hightech-omgevingen zijn er drie soorten spelers: gorilla's (de marktleiders), een beperkt aantal chimpansees (goede tweeden), en talloze apen[51]. Vaak heeft de gorilla een marktaandeel van meer dan 50 procent en ontvangt hij 70 procent van de winst in de industrie. Jazeker, het klassieke begrip schaalgrootte is nog steeds actueel wanneer het aankomt op bijdragen aan de winst. U hoeft geen wiskundig genie te zijn om te bedenken hoe de financiële toekomst eruitziet voor de apen. De apen krijgen wat ze verdienen: 'peanuts'. Het is zo dat terwijl de resultaten achterblijven, de investeringen vaak gelijk zijn geweest. En er is geen bijstandssysteem dat de welvaart herverdeelt over de hightechbedrijven.

In het land van de videoprojectie heeft Sony, volgens ingewijde bronnen, een marktaandeel van meer dan 30 procent. Philips en Electrohome nemen samen nog eens bijna 20 procent van de markt voor hun rekening. De meer dan 80 andere merken zijn goed voor de resterende 50 procent van de markt. Raadt u eens wat zij verdienen. Wanneer u een plan ontwikkelt voor een markt waar het product al geaccepteerd is, lijkt een intuïtief gewaagd marktaandeel van 10 procent misschien niet zo'n goed idee. Een doelstelling van 10 procent marktaandeel in een *winner takes all*-markt kan echter juist ronduit stom zijn. Wie niet waagt, wie niet wint. En als u niet wint, gaat u er misschien aan.

Wegwijzers

1. Producten en diensten helpen de klanten in hun consumptie- en productieprocessen.
2. Klassiekers hebt u nodig: productinnovaties die duurzaam concurrerend zijn.
3. Het is niet snelheid op zich die telt, maar het op tijd introduceren van innovaties.

4. Minder is vaak meer: kwaliteit wordt bepaald vanuit het stand-
    punt van de klant.
5. In een hoogtechnologische en/of informatie-intensieve omge-
    ving worden de sterken sterker en de zwakken zwakker.

HOOFDSTUK 13

Je vasthechten in de waardeketen

Differentiatie op basis van klantenprocessen

'Onze beste marketing wordt verricht door mensen die het bij ons niet gemaakt hebben.'

Managing partner van een vooraanstaand consultancybureau

En aantal jaren geleden bezocht een van de auteurs de Efteling, de Nederlandse sprookjesversie van Disneyland. Net zoals de madeleinekoekjes Proust het verleden deden herbeleven, zo bezorgen Langnek en consorten vele ouders een reis naar hun eigen kindertijd.

Het was een warm vakantieweekend en veel bezoekers hadden een groot gedeelte van de dag in de rij gestaan. Ach, waarom zouden we klagen? De kinderen vonden het leuk en dat was toch het belangrijkste, nietwaar? Niettemin, aan het einde van de middag werden we voor de zoveelste maal aangenaam verrast. Via de luidsprekers werden we geïnformeerd dat het park, vanwege de vele bezoekers en het mooie weer, een uur langer open zou zijn.

Onmiddellijk sprintten we naar de draaimolen. Terwijl dochterlief genoot van nog een ritje, zegden we tegen de man van de attractie: 'Goh, hier geniet mijn dochter nu eens echt van, kijk! Het is voor haar ontzettend leuk dat ze een uurtje extra krijgt op dit soort dagen!' De man liet geen enkele twijfel over zijn gevoelens bestaan. Met barse stem uitte hij direct en hoogst onvriendelijk zijn ongenoegen: 'Leuk? Leuk? Niet voor mij hoor! Ik wil naar huis. Het is immers tijd, weet u.'

Vergeet Marcel Proust en een sprookjesachtige herbeleving van uw kindertijd! De echte wereld van de Efteling openbaarde zich in haar volle glorie. De gekunstelde *Americana* van Disney is waarschijnlijk te veel van het goede voor een rauwe Nederlander. Niettemin zou het beter zijn als sommige medewerkers in de leer gingen bij het nabijgelegen en om zijn kindvriendelijkheid geroemde Land van Ooit in Drunen.

Met nadruk indruk maken

Klantprocessen verwijzen naar de communicatieve en distributieve interacties tussen een bedrijf en zijn klanten *zoals ervaren door de klant*[52]. Het relatiegedachtegoed is een belangrijke pijler van het huidige marketingdenken. Dit denken vindt een rijke voedingsbodem bij uitstek in concepten als *one-to-one marketing, e-commerce* en *customer relationship management.*

Klantentevredenheid en de essentiële rol van klantprocessen krijgen veel aandacht in de dienstensector. De inherente ontastbaarheid van dienstenprocessen creëert aardig wat onzekerheid in het hoofd van de klant. 'Zal het andere bedrijf de dienst net zo goed verlenen?'

Afgezien van een aantal cosmetische details zijn de meeste auto's in een specifieke categorie onderling uitwisselbaar. Dat is niet het geval voor de service die de verschillende dealers verlenen. Het inschatten van klantenvreugde (*'customer delight'*) van een nieuwe dealer is een raadsel dat veelal leidt tot warrige antwoorden en erg brede betrouwbaarheidsintervallen.

De statistieken variëren licht, maar de euro's en het gevoel komen *grosso modo* overeen in de verschillende onderzoeken. Een vaak (verkeerd) geciteerde studie[53] uitgevoerd door TARP (Technical Assistance Research Program), in opdracht van het Amerikaanse bureau voor consumentenzaken, concludeert dat de helft van de klanten een probleem meldt aan een persoon van het *front office*. 1 à 5 procent maakt zijn klachten kenbaar bij het management. De geruchtenmachine van klanten heeft bovendien een voorkeur voor slecht nieuws: 'twee maal zoveel mensen horen over een slechte ervaring dan over een goede ervaring.' De TARP-studies tonen aan dat de kosten voor het winnen van een nieuwe klant, afhankelijk van de markt, twee tot twintig keer hoger zijn dan die voor het behouden van een bestaande klant. Wat concludeert *u* uit deze simpele vaststelling?

Twintig procent van de klachten wordt veroorzaakt door medewerkers, 40 procent door onplezierige verrassingen van de klant met het product, de dienst of de processen, en nog eens 40 procent door fouten van de klant en verkeerde verwachtingen. Dit laatste oogt analytisch interessant, maar daar heeft de klant strikt genomen geen boodschap aan. Zoals het Eftelingvoorbeeld aangaf, komen de bovenstaande drie factoren vaak gelijktijdig voor.

Onlangs verbleef een van de auteurs in een bekend Tilburgs hotel. Terwijl hij het ontbijt nuttigt en het *NRC Handelsblad* doorneemt – de duobaan van menige hotelgast –, ziet hij 'iets' voorbijlopen. Hij meldt dat aan een serveerster: 'Mevrouw, ik wens u geen schrik aan te jagen, maar is het mogelijk dat ik daarnet een muis voorbij heb zien lopen?' De dienster aarzelt geen moment in haar antwoord: 'Ja, dat klopt!' En ze vult aan: 'Iedere week komt er een muizenvanger langs, maar via een onvindbaar gat in de vloer blijven die muizen maar komen...'

Deze ervaring combineert een onplezierige verrassing (Stuart Little moet van ons ontbijtbuffet blijven), verkeerde verwachtingen (de waanzinnige wereld van *Fawlty Towers* blijft niet beperkt tot het tv-scherm) en fouten van de medewerker (eerlijkheid voor uw gasten is niet hetzelfde als Nederlandse duidelijkheid). Het is in sommige hotels de moeite waard uw maaltijden op uw kamer te gebruiken. Beter geen gezelschap dan ongenood gezelschap. In sommige hotels voelt Basil Fawlty zich uitermate goed thuis: 'Een tevreden klant! We zouden hem moeten laten opzetten!'

Altijd hetzelfde liedje

'The song remains the same', zong Led Zeppelin ooit. Ook het nieuwe relatiedenken binnen de marketing is minder vernieuwend dan wij in het algemeen aannemen. Laten we onszelf niet voor de gek houden. Deze denkwijze bestaat al een tijdje. 'Naarmate de jaren verstrijken, raken steeds meer verkopers ervan overtuigd dat het doel niet één enkele verkooptransactie is maar een klant. Het woord tevredenheid zou consequent in elke formule moeten opgenomen worden om deze nieuwe doelstelling te benadrukken. Maar heel wat instanties hebben dit niet ingezien, zo blijkt.'

Hoe oud is bovenstaand citaat, denkt u? Vijf jaar? Tien jaar? Twintig?

Reeds in 1925 schreef Strong[54] in het gerespecteerde *Journal of Applied Psychology* denkbeelden die een verrassend hoog vernieuwend gehalte hebben vandaag de dag. De vraag om een relatiebenadering blijft dus écht wel hetzelfde liedje in de loop van de tijd. Veel managers weigeren in te zien dat er geen snelle kopieeroplossing bestaat wat betreft klantprocessen.

Veel industriële marketingmanagers hebben accountmanagement ontdekt als de manier bij uitstek om een productieve relatie met klanten op te bouwen. Heel vaak hanteert vrijwel iedereen in de sector grosso modo dezelfde routine om sleutelpersonen van het vertegenwoordigersapparaat om te scholen naar pro-actieve accountmanagers. Kan iemand zich dan door middel van accountmanagement onderscheiden van de anderen? Wat als een blauwdruk geldt om een buitengewoon hoge graad van dienstverlening te garanderen door de onderneming, verwordt tot een recept om de uitwisselbaarheid van leveranciers te verbeteren. De middelmatigheid staat opeens op een hoger niveau!

Hetzelfde geldt voor loyaliteitsprogramma's. American Airlines lanceerde AAdvantage in 1981. Sindsdien hebben velen hetzelfde recept gevolgd. Is iemand hier ooit veel beter van geworden? We betwijfelen het. Afgezien van de klantenbinding als gevolg van het als eerste op de markt zijn, is zelfs American Airlines niet veel anders dan de rest. Ter informatie: momenteel zijn $ 500 miljard aan Air Miles in omloop, en volgens een berekening van *The Economist* zullen binnen twee jaar meer Air Miles circuleren dan Amerikaanse dollars!

Het nieuwe speeltje vandaag de dag heet CRM, *Customer Relationship Management*. Het standaardrecept is ogenschijnlijk eenvoudig. Bedrijf A koopt een softwareplatform zoals Siebel en bepaalt het klantprofiel aan de hand van standaardgegevens. Vervolgens verwacht men het zo beter te doen dan de concurrentie. Het probleem hierbij is: de andere bedrijven in de sector hebben voor hetzelfde recept gekozen. Iedereen vecht opnieuw met dezelfde wapens. De enige die zijn levensstandaard daadwerkelijk verbetert, is meneer Tom Siebel. We gunnen het hem van harte.

Relaties kennen een wisselkoersrisico

Velen zien de essentie van relatiemarketing en klantprocessen over het hoofd. We kunnen er maar beter eerlijk in zijn: relatiemarketing is geen oefening in liefdadigheid! Het doel van relatiemarketing is een economische en psychologische verzekering dat uw klant van leverancier *wil* noch *kan* wisselen.

Een onderzoek van Reichheld[55] in de VS liet zien dat 65 tot 85 procent van de klanten die overgaan naar een nieuwe leverancier, eigenlijk tevreden was met hun vorige leverancier! In lijn hiermee ligt de gemiddelde tevredenheid in de automobielindustrie ergens tussen de 85 en een toch wel duizelingwekkende 95 procent. Toch bedraagt de merkloyaliteit slechts een schamele 40 procent.

Anders gesteld: we moeten de klant 'helpen' bij ons te blijven. Dit doet men door de economische en psychologische wisselkoersrisico's verbonden aan het wisselen van leverancier hoog te houden.

In consumentenmarkten impliceert dit dat het bedrijf de aankoopcyclus van de klant aangenamer maakt. Waarom verkiest u die ene schoenwinkel boven een andere, alhoewel ze dezelfde sportschoenen verkopen voor dezelfde prijs? Misschien vindt u de verkoper daar vriendelijker, competenter, kortom gewoonweg beter. Twee autodealers verkopen misschien wel dezelfde auto's, maar de ene doet meer moeite om er zeker van te zijn dat u uw auto voor een onderhoudsbeurt kunt brengen op een moment dat het u goed uitkomt.

In industriële markten impliceert relatiemarketing dat de leverancier kritische interne processen in de waardeketen van de klant faciliteert of overneemt. Vergelijk het met het schakelen van de eerste versnelling naar de tweede wanneer u autorijdt. U kunt niet van de ene naar de andere versnelling schakelen zolang de tandwielen nog met elkaar in verbinding zijn. U kunt alleen schakelen door de koppeling in te trappen. Het loslaten van de koppeling brengt de tandwielen dichter bij elkaar. Wanneer u op dat moment nog aan het schakelen bent, spreekt men toepasselijk over 'tanden poetsen'. Het zorgt voor een hoop lawaai en trekt ongewenst de aandacht in de straat waar u woont. Het doet zowel de auto als de bestuurder geen goed.

Het vasthechten in de waardeketen van de klant verlaagt het wisselkoersrisico van de leverancier en verhoogt het wisselkoersrisico van de klant. Als industrieel marketeer is het voor u essentieel te begrijpen hoe uw klanten op hun beurt waarde creëren voor hun klanten. Indien u belangrijke processen faciliteert in de waardeketen van uw klant, wordt het voor deze klant minder voor de hand liggend u in te ruilen voor een andere leverancier. 'Ontkoppelen' wordt moeilijk!

Er zijn allereerst tijdsinvesteringen en geldinvesteringen nodig om het personeel aan te passen, de middelen aan te passen, of de processen en procedures te wijzigen. Daar komt bij dat aangezien diensten ontastbaar zijn, een verkeerde beslissing erg kostbaar kan zijn voor de klant[56].

Een klant kan positief geboeid worden door verwevenheid van leverancier- en klantprocessen. Een klant die ermee instemt zijn voorraad te laten beheren door een leverancier weet heel goed dat dit zijn vrijheidsgraden beperkt. Maar bij een goed opgesteld contract en een vlekkeloze uitvoering is het de moeite waard voor aanbod- en vraagzijde. Een klant die in de wolken is, is veel meer geneigd klant van u te blijven en u bij collega's aan te bevelen dan een klant die alleen maar tevreden is.

Dit verklaart waarom businessschools er zo prat op gaan op maat gemaakte executive MBA-opleidingen aan te bieden. Het is een geweldige manier in de waardeketen van hun klanten te komen. Met iedere sessie leert de docent steeds meer over het bedrijfseigen karakter van de klant in de collegezaal en wordt de inwisselbaarheid met andere opleidingsinstituten lager. Wat zijn immers de opportuniteitskosten verbonden aan de goedkopere propositie van een concurrerende instelling die niet de leercurve heeft meegemaakt van het leerzame vraag- en antwoordspel in voorgaande sessies?

Hoe differentieert het ene accountantskantoor zich van het andere (afgezien van het onethisch versnipperen van bezwarende documenten)? Laat ons dit illustreren aan de hand van een zeer eenvoudig voorbeeld. Tijdens uw bedrijfseconomische opleiding leerde u dat er veel geld te verdienen valt met fiscale spitstechnologie. Het fiscaal advies is een interessant jachtterrein voor studenten economie. Als jonge, intelligente accountant specialiseert u zich daarom in fiscale zaken en begint u uw hoopvolle carrière bij een van de grote internationale accountantskantoren.

Maar u hebt een partner en twee schatten van kinderen, van wie u heel veel houdt en met wie u zoveel mogelijk tijd probeert door te brengen. Dit is niet het profiel van iemand die het ver zal schoppen in de 'omhoog of eruit'-cultuur die binnen zulke firma's heerst.

We moeten echter respect hebben voor de aanpak van het senior management in zulke firma's. Bij andere bedrijven zou u ontslagen worden, of zeventien jaar lang in hetzelfde kantoor hetzelfde werk verrichten. Maar niet bij de grote advieskantoren! Eén of meer partners zullen u uitnodigen voor een vergadering, waarin ze uw inhoudelijke toewijding aan de baan en uw zorgzame toewijding aan uw gezin bewonderen. Ze zullen er misschien aan toevoegen dat ze achteraf gezien graag dezelfde keuze als u hadden gemaakt zo'n goede twintig jaar geleden. Ach, een leugentje om bestwil!

Zoals het er nu voor staat, zal het echter moeilijk voor u zijn promotie te maken. Sterker nog, het is waarschijnlijk ook niet in uw belang. Maar ze komen op de proppen met een voor alle partijen interessante oplossing. Er zijn immers heel wat familiebedrijven waar u, met de gedegen expertise en loyaliteit waarover u beschikt, een goede kandidaat zou zijn om iedere maand uitgeroepen te worden tot werknemer van de maand! U evalueert uw opties en doet wat het verstandigst is: u verhuist van het accountantskantoor naar een van de organisaties die ze aanbevolen hebben.

Op het eerste gezicht hebben ze een van hun jonge professionals geholpen, alsmede een (potentiële) klant. Wanneer we dit analyseren uit een waardeketenperspectief, ontvouwt zich een intrigerende strategie. Het accountantskantoor dringt sluw door in de waardeketen van een van zijn (potentiële) klanten en lost een personeelsprobleem op de financiële afdeling op. 'Onze beste marketing wordt verricht door mensen die het bij ons niet gemaakt hebben', merkte de managing partner van een vooraanstaand Brussels consultancybureau op. Laat het duidelijk zijn: het was absoluut niet cynisch bedoeld.

Relaties zijn uniek

Een hoogst kritisch klantproces betreft de identificatie en consequente selectie van de juiste klanten, met name de klanten die bij de doelstellingen en de competenties van de aanbieder passen. De First Direct Bank uit Groot-Brittannië benadrukt veelvuldige interacties met haar klantenbestand, de Nederlandse ING Bank geeft de voorkeur aan klanten die minder dan twee keer per maand met hen in contact treden. Beide banken hebben een goede relatie met hun klanten. Beide zijn succesvol!

Wat u mag beschouwen als een uitstekende dienstverlening moet worden bekeken vanuit het standpunt van de klant. Indien dit perspectief aansluit bij de organisatorische competenties van de onderneming, kan dit een winstgevende relatie worden.

Een goede relatie bestaat dus slechts indien *beide* partijen, met name de klant en de leverancier, er baat bij hebben blijvend met elkaar zaken te doen. Kleinere klanten kan men beter pamperen door een *account selling*-aanpak; grotere, strategische klanten hebben liever een *accountmanagement*-benadering. Het lijkt een nuance, maar het is een wereld van verschil. In de eerste benadering verkoopt men een maximaal assortiment. In de tweede benadering creëert men een optimaal assortiment. Men streeft efficiëntie na bij de kleine klanten en effectiviteit bij de grote klanten. En niet vice versa!

Net als in het echte leven zijn de verwachtingspatronen in een zakelijke relatie dynamisch van aard. Uw kleine starters kunnen groot worden, en grote klanten kunnen kleiner worden. Studenten brengen weinig winst in de bancaire lade. Later in hun carrière kunnen ze een zeer interessant wingewest vormen. Voor de jonge student die de allereerste keer een rekening opent, is dit in zijn of haar beleving een belangrijk ceremonieel moment. Indien een loketbediende deze student, die een eerste rekening opent, onthaalt met een flair die spontaan geassocieerd wordt met de klantgerichtheid in een Oost-Europese fabriekshal, richt u schade aan. Dergelijke persoonlijke interacties vormen echt de 'momenten van de waarheid'[57]. Faal, en het worden momenten van misère in plaats van de noodzakelijke magische momenten. Klanten voelen zeer goed aan in welk hokje u hen indeelt. *Accountmanagement should truly account for something!*

Op elk potje past een deksel

Er bestaat geen twijfel over: het trainen en selecteren van personeel is een zeer belangrijk aandachtspunt bij het bepalen van de juiste klantprocessen. Personeel moet ook getraind en beloond worden voor serviceherstel, het reageren op tekortkomingen in de service[58].

Geen enkel proces is perfect. Zelfs een six sigma-benadering laat ruimte voor dat ene geval waarin een proces fout gaat. De ongenode gast in het Tilburgse hotel vormde de spreekwoordelijke uitzondering. Het personeel moet te allen tijde kunnen omgaan met onbeantwoorde verwachtingen en onaangename verrassingen.

Doe goed, en kijk niet om! Doe fout, en iedereen kijkt om. De concurrenten verzilveren de menselijke gebreken in uw bedrijf. Een juiste werving en begeleiding creëren een warm welkom. Een foute werving en dito begeleiding creëren een snelle uitgeleide.

De human resource-functie is met recht een strategische functie! McDonald's slaagt waar anderen glansrijk falen: een identieke dienstverlening wereldwijd. De Big Mac door de culturen heen. Veel restaurants raken aardig in de problemen wanneer ze een dienst willen dupliceren. McDonald's realiseert dit schijnbaar foutloos binnen duizenden eenheden. Sommigen minachten de hamburgeruniversiteit van McDonald's. Denk er toch nog maar eens over na!

Wij ondervonden meer verschil in de dienstverleningsprocessen van de Quick-hamburgertenten in Roeselare en Kortrijk – twee Westvlaamse steden die nauwelijks 20 kilometer van elkaar af liggen – dan tussen de McDonald's-restaurants in Manilla en New York. Deze uniformiteit betekent een moment zekerheid voor de internationaal uithuizige zakenreiziger.

Het probleem lost zich voor Quick spontaan op. Ondanks een 'maagaandeel' van ongeveer 60 procent in de Belgische fastfood-arena hebben ze een respectabel aantal vestigingen moeten sluiten (waaronder de Roeselaarse vestiging). De oorzaak van hun slechte financiële resultaten, zo dacht het management van Quick België een aantal jaren geleden nog, werd veroorzaakt door een inefficiënte inkoop en logistiek. Daar de auteurs, als reizende nomaden, veel tijd in de auto doorbrengen, is een *broodje dashboard* een doorsnee

maaltijd voor ons. We hebben aardig wat ervaring in hamburger-
land. We kunnen u verzekeren: de backoffice zorgt misschien voor
problemen bij Quick, de frontoffice zeer zeker.

Wegwijzers

1. Met relatiemarketing verhoogt u de kosten van uw klanten om
   naar een andere leverancier over te stappen.
2. Indien u dezelfde technieken op dezelfde wijze toepast, verhoogt u de middelmaat en vermindert u uw onderscheidend
   vermogen.
3. Analyseer in industriële markten het proces van waardecreatie
   van uw klant, en hecht u vast in die waardeketen.
4. Analyseer in consumentenmarkten de aankoop- en gebruiks-
   cyclus van uw klant, en faciliteer deze cyclus.
5. Bij een goede relatie heeft zowel leverancier als klant baat.

HOOFDSTUK 14

Spelen met vuur

Prijsdifferentiatie

'Indien je niet onderscheidend bent, kun je maar beter een lage prijs hebben.'

Jack Trout

Het bittere spel lijkt gespeeld in de markt van de spelconsoles. In de herfst van 2000 lanceerde Sony de Playstation 2 (PS2), anderhalf jaar vroeger dan de GameCube (Nintendo) en de Xbox (Microsoft). Dit is een *winner takes all*-markt (zie hoofdstuk 12), waar Microsoft echter niet de beproefde browserstrategie kan aanwenden om marktaandeel te kopen. De introductieprijs van Xbox bedroeg € 479, tegen € 299 voor de PS2. De fabrikanten verdienen op de spelletjes, en niet zozeer op de console. De dolle prijzenslag die volgt lijkt wel een hectische *shoot out* in een *first person shooter game*: iedere partij wordt gehavend in de strijd, maar knalt hoopvol een volgend prijzensalvo af.

Microsoft verlaagt de prijs van de Xbox in de loop van 2002 met nagenoeg de helft. Sony begrijpt dat een vijand als Microsoft maar beter niet te dichtbij kan komen, en verlaagt de prijs in de belangrijke Amerikaanse markt van $ 299 naar $ 199. Eind 2002 heeft Sony 41 miljoen PS2-consoles verkocht, Microsoft 3,7 miljoen. Spelletjes staan naar schatting in voor 13 procent van Sony's omzet, en 57 procent van de winst! Tot slot: de *installed base* van Sony en de merkzekerheid van Microsoft zijn heel slecht nieuws voor Nintendo. Hoe laag hun prijs ook mag zijn.

De consumenten, en vooral de ouders van speelgrage kinderen, bekijken dit enigszins meewarig en begrijpen het niet goed. De hardleers geschoolde micro-econoom kan zijn zelfvertrouwen alleen aanhouden in de collegezaal. Want ook hij weet dat klanten niet rekenen in *utiliteiten,* en managers geen *marginale opbrengstanalyse* maken. Hoe wordt dan de prijs bepaald? En hoe kunnen we die prijs optimaliseren?

Ons argument in dit omvangrijke debat is eenvoudig: *u kunt een prijsstrategie alleen plaatsen binnen de context van de bedrijfsstrate-*

gie[59]. Het is zeer de vraag of veel ondernemingen de nodige competenties bezitten om op prijs te concurreren. Hoe meer een onderneming concurreert op prijs, hoe minder succesvol de onderneming blijkt te zijn[60]. In een studie van 74 Belgische en 95 Nederlandse bedrijven kwamen we tot de conclusie dat prijsdifferentiërende bedrijven de minst succesvolle in onze steekproef vormden, zowel wat winstgevendheid als wat marktaandeel betreft. Ze waren evenmin significant succesvoller in het realiseren van kostenefficiëntie. Anders gesteld: bedrijven concurreren meestal niet op prijs omdat ze efficiënt zijn, maar omdat ze eenvoudigweg niet effectief zijn.

Als je niet onderscheidend bent op product, klantenproces of imago, is je enige reddingsboei de prijs. Maar in een prijzenspiraal ga je alsnog onderuit. Een reddingsboei helpt niet al te best in een draaikolk.

De druk op de ketel

Prijsdruk is van alle tijden, en van alle plaatsen. In zijn seminars over merkenbeleid vraagt marketinggoeroe David Aaker de managers die in een industrietak concurreren waar heftige prijsconcurrentie niet aan de orde is, hun hand op te steken. Na duizenden deelnemers, stak uiteindelijk iemand de hand op. De directeur van het Panamakanaal…

De prijsdruk wordt in de huidige crisis wel degelijk gevoeld, en breidt zich zelfs uit naar de dienstensector. De tanende bestedingen, globalisering van de aanbodzijde, geopolitieke onzekerheid, concentratie aan de inkoopzijde, internationale prijzentransparantie door de invoering van de Euro en de opkomst van online aankopen dragen bij tot de huidige prijzenconcurrentie. Maar ook zonder deze factoren zou er prijsdruk zijn. De banaliseringsmagneet is immers werkzaam (hoofdstuk 10). Ook de winnaars moeten op de toppen van hun tenen blijven lopen. Er is je werkelijk geen rust gegund.

Hewlett-Packard kan dan wel de naam hebben een hoogtechnologische onderneming te zijn, maar 15 procent van de geconsolideerde omzet, en bijna de volledige winst, is afkomstig van de inkt- en tonercartridges van de printers! Vetpotten in de markt wekken de eetlust van concurrenten aan. Rhinotek Computer Products verkoopt tonercassettes 25 procent beneden de prijs van HP. 'Anytime you have competitors, don't expect a lovefest', observeert Pradeep Jotwani, de senior vice-president van HP's inkt- en tonerdivisie. De oplossing ziet HP in het continu innoveren en het verdedigen van de patenten. Veel ademruimte krijgen ze niet. Rhinotek is geen passieve imitator, en verricht grondig ontwikkelingswerk op de inhoud van de cartridge. Vergis je niet: imitatie en innovatie sluiten elkaar niet uit!

Waarde@klant.com

Eind november 2002 introduceerde de Belgische Post het Prior-tarief. Prioritaire post, die de volgende dag ter plaatse moest zijn, werd duurder dan de gewone post. Deze aankondiging trok veel aandacht van de media. De media zijn instanties die een positieve (w)eetlust hebben voor negatieve berichtgeving. Wat zou er uit de bus komen? En dus nam menig krant en televisiestation de proef op de som. Empirie in de media, het is eens een afwijking van de mediaan.

90 procent van de Prior-poststukken bereikte de volgende dag de bestemming. Maar men plaatste vraagtekens bij de late levering van Prior-post. De woordvoerders van de Post beklemtoonden – in een postume reactie? – de latere levering van de gewone post, en niet de tijdige levering van de Prior-post! De Belgische Post heeft blijkbaar een alternatieve kijk op differentiatie: er zijn klanten die het begrijpen, en er zijn er die het niet begrijpen...

De Post heeft het begrip *klantwaardepropositie* niet goed begrepen. De klantwaarde is het verschil tussen de totale waarde van een aanbod voor de klant en de totale kosten voor de klant, inclusief de aanschafkosten[61]. Deze waarde kan men verhogen door de totale waarde te verhogen, de kosten te verlagen of een combinatie van beide.

De prijs die een klant betaalt voor een bepaald aanbod, is een weergave van de waarde van de product-, de proces- en de imago-voordelen die een aanbod betekent voor deze klant. De prijs is de enige marketingmixvariabele die direct geld opbrengt. Onze stellingname luidt dan ook dat de meeste bedrijven gebaat zijn bij een differentiatie op product, klantenprocessen en imago, en prijs beter als een resultante van deze voordelen kunnen beschouwen.

Zijn ondernemingen wel geïnteresseerd in het segment van de prijskopers? Prijskopers vertonen geen royale loyaliteit: ze zijn trouw aan de prijs, niet aan het bedrijf. Ryanairs Michael O'Leary mag dan wel verkondigen dat zij *'het best bekende merk voor de laagste kostprijs'* zijn, het biedt tegelijkertijd een duidelijke schietschijf voor de concurrenten.

Vergis U echter niet! Ryanair heeft, net als Wal-Mart, niet altijd de laagste prijzen. Maar doordat ze lage prijzen hanteren, creëren ze wel degelijk de indruk van de laagste prijzen[62]. Het Belgische Colruyt volgt een vergelijkbare strategie. De eenvoudige en kale inrichting suggereert reeds een perceptie van lagere prijs.

Een onderneming voedt haar klanten op. Indien u verkoopt op prijs, leert u uw klanten op prijs te onderhandelen. Een baby van drie maanden oud heeft, door gebaren en huilen, een uitstekende afstandsbediening om foutloos de ouders te sturen. Dit talent heeft de baby opgedaan door herhaalde *'trial and error'*. Kan men zich indenken wat de kracht is van een dergelijke afstandsbediening in de handen van een industriële inkoper of consument met twintig jaar ervaring in prijsonderhandelingen? Nu algemeen bekend is dat Airbus 50 procent (!) van zijn prijs heeft afgeroomd om de megadeal met EasyJet te sluiten, welke speelruimte heeft Airbus dan nog om in andere onderhandelingen zijn marge te garanderen?

De beste differentiatie is wanneer u een unieke waarde biedt en een klant niet kán vergelijken. Het prijsargument wordt dan moeilijk bepaalbaar. Wat is, voor de gegeven doelgroep, de waarde van een Rolex? Hoe waardeert iemand het veiligheidsaspect van een Volvo? Welke waarde kan men hechten aan een geruststellend bezoek aan een McDonald's-restaurant in Tokio, waar men waarschijnlijk geen Engels spreekt of verstaat (laat staan Nederlands), maar men toch die uniforme dienstverlening hanteert die deze fastfoodgigant wereldwijd karakteriseert? Met betrekking tot prijs kan er slechts één winnaar zijn, met betrekking tot differentiatie op de andere elementen zijn er vele winnaars mogelijk.

Op moeilijke ogenblikken kunnen zelfs de sterkste ondernemingen naar het prijsinstrument grijpen om klanten te lokken. McDonald's voelt voor de eerste maal echt de druk op de ketel. De groei in de Amerikaanse restaurantmarkt valt stil. En een aantal klanten en advocaten maakt zich dik dat de *fast food corporation* hun klanten dik maakt. En kijk, McDonald's lanceert het *'dollar menu'* in Amerika. Burger King bestempelt het als een nutteloze prijzenoorlog en zou wel eens kunnen gelijk hebben. McDonald's blijkt zich voorlopig te verslikken in dit robbertje 'prijsvechten'. De toename in klanten compenseert niet de kosten van de prijzenslag.

Er zijn andere methodes dan een vrije prijsval. Zo wordt het *bundelen* van producten en diensten gebruikt om het (in)zicht van de klant te beperken. Fabrikanten van duurdere luxe personenauto's presenteerden eerst een standaarduitrusting, die men vervolgens aanvulde met aantrekkelijke en dure opties. Nu biedt men standaardpakketten aan die de koper klaarblijkelijk moeilijk kan weigeren. Het nadrukkelijke weggedrag observerend van een aantal automobilisten, vragen wij ons af of ook de richtingaanwijzers een dure optie zijn…

Er bestaat ook *latente bundeling*. Bedrijven minimaliseren de aanschafkosten, maar de kassa tikt des te heviger met ieder gebruik. Inkjetprinters koopt u tegen lage prijzen. Hosanna! Daar stopt de liefdadigheid en begint de oogst van de marges op de dure inktcartridges.

Bundeling beperkt de transparantie. Kopers hebben het gevoel een goede deal te sluiten, maar bundeling heeft ook zijn gevaren. Zo merkte een medewerker van een telecombedrijf ooit op dat hun belangrijkste voordeel erin bestond dat de klanten de werkelijke kosten van een telefoongesprek niet konden uitrekenen. Misschien niet, nee. Maar de concurrenten zullen hen wel helpen!

Ondernemingen experimenteren met allerlei vernieuwende prijsstrategieën. Een vaak gehanteerde strategie bestaat in het lanceren van een *vechtmerk*. Zo heeft KLM de dochteronderneming Buzz boven de doopvont gehouden om in het segment van de prijsstuntende luchtvaartmaatschappijen te concurreren. Delta Airlines is hetzelfde van plan. De operationele kosten per eenheid van Delta's nieuwe dochtermaatschappij moeten 20 procent lager zijn dan die van de moedermaatschappij. De mosterd zijn ze gaan halen bij Southwest Airlines en andere *low cost carriers*. 70 procent van de tickets wil men verkopen via internet (kijk naar Ryanair: 94 procent!). De actieve gebruikstijd van de vliegtuigen zou met 23 procent stijgen naar 13,2 uren per dag. Een gestandaardiseerde vloot bestaande uit 36 Boeings van het type 757 moet, evenals een compactere schikking van de stoelen (199 economy-zitplaatsen), verder de kosten helpen drukken.

Wij vragen ons één ding af: moet men een vechtmerk oprichten of een pechmerk bijsturen? Businessclass-passagiers hebben er een hekel aan om een premiumprijs te moeten betalen en vervolgens in het vliegtuig op te merken dat het onderscheid er alleen in bestaat dat het fruitsap vóór het opstijgen geserveerd wordt en het afscheidingsgordijn zich áchter hen bevindt. Dit gordijn verschuift al naargelang het aantal businessclass-passagiers. Beenruimte en comfort meet men dus uniform en zakelijk af.

Waarom zou een klant zoveel meer betalen voor oppervlakkige details? Jack Creighton, gedelegeerd bestuurder van United Airlines, snoefde dat 'een multifunctionele ligstoel in first class even duur is als een BMW'. United Airlines ressorteert nu onder *Chapter Eleven.*

Vechtmerken blijven een controversiële strategie. Vechtmerken ruziën met de competenties en het imago van de rest van de onderneming. Een *no frills* 'onderneming in de onderneming' is zelden compatibel met de huiscultuur en het imago.

Merck verkocht haar divisie van generieke geneesmiddelen. Albert Heijn is heel voorzichtig met het Euroshopper-budgetmerk, waarmee ze *every day low prices* kunnen voeren. Ze hebben echter geëxperimenteerd door speciale voordeelstraten een discounttint te geven. Een échte *corridor des séductions*? Niet echt! 'De klanten vinden dat echter niet zo prettig. Het past niet bij de uitstraling van Albert Heijn', meldt een AH-woordvoerder. En ook de huismerken worden steeds meer vereenzelvigd met kwaliteit en steeds minder met lage prijs.

Bij waardevolle producten hoort een prijskaartje. Veel internetgebruikers beschouwden deze virtuele wereld als de laatste échte vrije markt. Sinds 9 augustus 1995, toen de beurslancering van Netscape een legendarische hype veroorzaakte, is er veel veranderd. Na de dotcomimplosie leek de internetbazaar van het www daadwerkelijk symbool te staan voor *what went wrong*? De nomaden van de moderne tijden, de internauten, moeten tol betalen voor plezier op het web. Dit kan volgens ons alleen maar bijdragen tot de kwaliteit. Indien een winkel er zo slordig uitzag als menige website, zouden we het nooit in ons hoofd halen er een voet binnen te zetten.

'Informatie heeft een waarde', kopte de Vlaamse kwaliteitskrant *De Standaard* op nota bene de *cultuur*pagina's toen op 21 september 2002 de website gedeeltelijk betalend werd. Of moeten we stellen: gedeeltelijk gratis bleef? Hun website is eveneens een publiekstrekker. Technologieadviseur Forrester Research heeft gelijk: 'The smarter bears in the bunch will be testing different products at different [price] points this year.'

Ook over ons online abonnement van de *Financial Times* zijn we zeer te spreken! We krijgen echter nog altijd aanbiedingen om tegen gunstige voorwaarden een 'echt' abonnement te nemen op de *Financial Times*. We zijn het niet van plan. Zeg nu zelf: welke echte krant geeft automatische e-mails, heeft een zeer makkelijk toegankelijk archief, en laat geen kilo's roze rotzooi na?

Waarde@bedrijf.com

Het aanbod van een succesvol bedrijf creëert waarde voor de klant, én waarde voor de onderneming en zijn eigenaars. Het is dan ook de taak van het management om een positief verschil te houden tussen de prijs en de kosten van een product. Pro-actieve efficiëntieverhogende investeringen kunnen daaraan bijdragen.

Efficiëntie kunt u realiseren door schaalvoordelen, leereffecten, vernieuwende productietechnieken, een beter product- of service-ontwerp, het verlagen van de inputkosten, het verbeteren van de capaciteitsbenutting en het verhogen van de organisatorische efficiëntie[63]. Het aantal voorbeelden is legio.

Oracle beoogt door een standaardisatie van het productaanbod de prijzen én de kosten te drukken. Amazon verlaagt de prijzen, waardoor de vraag toeneemt en de broodnodige schaalvergroting verder de kosten kan drukken. Wanneer men de cosmetische details van sommige Peugeots en Citroëns buiten beschouwing laat, blijken ze over gelijke motoren, versnellingsbakken en remmen te beschikken. Hetzelfde geldt voor Volvo en Ford. Waarbij Volvo-designer Horbury fijntjes opmerkt: 'Naarmate meer onderdelen gemeenschappelijk zijn, wordt het eveneens onze taak te zorgen dat dit niet merkbaar is.'

Volgens strategiegoeroe Michael Porter kan men niet tegelijkertijd differentiëren en efficiënt zijn[64]. Echter, ondernemingen kunnen wel degelijk beide strategieën tegelijkertijd realiseren, en hoeven niet noodzakelijk in de vermaledijde *'stuck in the middle'* terecht te komen. Dit is overigens een essentiële les uit de *Total Quality Movement* geweest: kwaliteit en efficiëntie zijn wel degelijk verenigbaar!

Het realiseren van een stoel in Kinepolis Brussel kostte € 1.750, zowat de helft van het sectorgemiddelde in Brussel. Tegelijkertijd slaagt men erin een unieke bioscoopkwaliteit en dito ervaring aan te bieden aan de klanten. Het is echt niet zo dat wanneer u bij het stoffige klapstoeltje bij een vervallen concurrent stante pede een hoestbui krijgt, u deze misère goedkoper krijgt!

We willen wel een aantal kanttekeningen maken bij efficiëntieverhogende strategieën. Efficiëntie en differentiatie zijn geen onafhankelijke alternatieven, maar in de tijd aan elkaar gerelateerde keuzen. De meeste ondernemingen differentiëren eerst hun aanbod, en streven pas daarna de interne efficiëntie na. Er is in veel industrietakken met name een evolutie te onderscheiden van productinnovatie ('differentiatie') naar procesinnovatie ('efficiëntie')[65]. Een volledig efficiënte productievestiging voor een product dat niemand wenst, is echt een zielig gezicht. Efficiëntie zonder succesvolle differentiatie vertraagt alleen maar de trieste afloop. 'Je maakt geen bedrijf gezond door alleen maar op kosten te besparen', stelt Jim Padilla, het hoofd van Fords Noord-Amerikaanse activiteiten.

De zoektocht naar efficiëntie beperkt ook de strategische flexibiliteit, en het is zeer de vraag of investeringen die de laagste kosten stimuleren zich laten terugverdienen in markten waar snelle innovatie aan de orde is. Productinnovatie en kostenefficiëntie gaan zelden samen. Kan een efficiëntiegedreven onderneming als Dell succesvol de veeleisende server-markt betreden? 'Michael [Dell] is goed in onderdelen. Laat ons zien hoe goed hij is met mensen', merkt een analist op.

Tot slot: de duurzaamheid van het kostenleiderschap is beperkt. De internationalisering van de markten, het ontstaan van internationale distributiekanalen evenals de valutaschommelingen kunnen een verworven kostenleiderschap sterk eroderen. Men gaat er

gemakshalve van uit dat iemand die slechts 10 procent van ons sala-
ris verdient, over slechts een fractie van onze competenties beschikt.
Wakker worden alstublieft! Het succesverhaal van de Indische soft-
ware-industrie is een signaal voor iedereen. De kennisindustrie is
niet de exclusieve enclave van de westerse wereld.

Technologische innovatie kan concurrenten in staat stellen de
lagekostenstrategie van de concurrent te verzwakken. Tenslotte mogen
we evenmin vergeten dat de competenties zoals de efficiënte inzet van
middelen, geassocieerd met een kostenstrategie, hun doorstroming
naar de andere ondernemingen kunnen vinden middels personeels-
mobiliteit. Dit heeft Lopez geïllustreerd bij zijn overstap van General
Motors naar Volkswagen. Wanneer Louis van Gaal met Ajax kam-
pioen kan worden (1994, 1995, 1996), kan hij het evenzeer met FC
Barcelona – *quod erat demonstrandum*, zie de resultaten van het
Spaanse voetbalseizoen 1998-1999. Toegeven, het kan fout lopen. Zelfs
Louis van Gaal werd nederig na de teloorgang van Oranje tijdens de
WK-kwalificatie en zijn tweede ontslag bij de voetbalclub Barcelona...

Kosten noch moeite

'Gimme Shelter', een klassieker van de Rolling Stones, is ook een
klassieker voor het Rollende Staal. Elke keer dat de wereldmarkt
voor staal afzwakt en 'oneerlijke' concurrentie de prijzen 'onaan-
vaardbaar' laag maakt, komt de vraag naar overheidsbescherming
op. Dergelijke *'shelter-based strategies'* zijn op de middellangetermijn
uitermate funest voor het concurrentievermogen[66].

Hier volgt een recente illustratie. In maart 2002 legde de regering-Bush importtarieven op variërend van 8 procent tot 30 procent
voor een breed spectrum van producten voor de duur van drie jaar.
De doelstellingen van dit nieuwe ijzeren gordijn waren duidelijk:
ademruimte geven aan de Amerikaanse staalindustrie om te moder-
niseren en het reduceren van de wereldwijde overcapaciteit. Deze

staalproducenten liggen bovendien in stemmenrijke staten als Pennsylvania en Illinois.

Een retorische vraag: als je de vetpotten beschermt, kun je dan afslanken? Blijkbaar niet. De maatregelen hebben op bijna alle fronten gefaald. De Verenigde Staten hebben hun geloofwaardigheid als voorvechter voor de vrije wereldhandel verloren. Geen enkele regering is nog bereid aan te nemen dat de overproductie zich nét in haar land bevindt. En ook deze landen gaan tot bescherming over. Erger nog, de wereldwijde druk heeft de regering-Bush verplicht uitzonderingen op te nemen. Deze uitzonderingen hebben ervoor gezorgd dat de import met 8 procent toenam in vergelijking met het vorige jaar! Bovendien verliest Bush het vertrouwen, én de stemmen, van de vakbonden en hun leden.

Wie stoot zich niet aan dezelfde steen? In de Amerikaanse automobielindustrie heeft men evenzeer de bescherming opgezocht van de Japanse concurrentie. De Japanse concurrenten zijn overgegaan tot directe investeringen in de VS. De productievestigingen en dealers van Toyota hebben in de VS 123.000 mensen in dienst, meer dan Coca-Cola, Microsoft en Oracle samen. Bovendien gingen ze over tot de productie van duurdere wagens. 'Door het uitstel [van de herstructurering] hebben we misschien wel de gevolgen versterkt', stelt de directeur van het Center voor Automotive Research nu.

U kunt beter uw lot in eigen handen nemen. En u realiseren dat het beter is uit het verdomhoekje van de banaliseringsmatrix weg te blijven dan eruit te moeten ontsnappen. Efficiëntie hoeft u niet alleen te zoeken aan de aanbodzijde. Een onderneming bloeit in het aanschijn van gezonde klanten. U doet er goed aan niet telkens in te gaan op de zoveelste eis van een prijsgedreven klant. Het vereist evenwel moed om, zoals Michelin, klanten als GM Europa en Fiat te dumpen, en zich toe te leggen op de premiumsegmenten.

Prijsgedreven klanten zullen ervaren dat er vaak een hoog prijskaartje hangt aan de lage prijs van andere leveranciers: slechtere logistiek, minder betrouwbare producten of wankele dienstverlening na de aankoop. Een waardeketen is net zo sterk als de zwakste schakel. Uw klant kan het zich niet veroorloven een gezonde waardeketen te verzieken door langdurig uit te munten in zwakheid.

Ondernemingen dienen zich eveneens vragen te stellen over de organisatie die hun strategie ondersteunt. Zo werd een onderneming door een internationale hotelketen gepolst, via twee afzonderlijke vragen, om een offerte te maken voor hun vestigingen in Madrid en Stockholm. De marktverantwoordelijke voor de Scandinavische markten maakte een offerte met een hoge dienstverlening en daarom een hoge prijs. De marktverantwoordelijke voor de Zuid-Europese markten stelde, onwetend van de commerciële escapades van haar collega, een *bargain deal* op waarin de nadruk lag op de concurrerende prijs. De service was navenant laag. De volgende dag arriveerde er één fax bij de leverancier. De hotelgroep had kennisgenomen van het aanbod en wenste voor de beide vestigingen de Scandinavische service én de Spaanse prijs…

In een conglomeraat van markten en filialen zijn veel medewerkers van de commerciële staf absoluut niet adequaat op de hoogte van de échte kosten en opbrengsten. Efficiënte klanten spelen de organisatorische inefficiënties van hun leveranciers netjes uit!

Wegwijzers

1. Meegaan in de prijsspiraal is als spelen met vuur: u kunt uw billen ernstig verbranden.
2. Wanneer u uw klanten leert op de prijs te letten, moet u er niet van opkijken dat ze trouw worden aan de laagste prijs, en niet aan uw merk.
3. Efficiëntie (lage kosten) zonder effectiviteit (differentiatie) is een doodlopend straatje.
4. Een lage prijs is een slecht te verdedigen concurrentievoordeel.
5. Af en toe nee zeggen tegen prijskopers is heilzaam voor beide partijen.

HOOFDSTUK 15

Koppensnellen op de markt

Imagodifferentiatie

'Men kan niet níet communiceren.'

Watzlavik, Beavin & Jackson

3 M staat bekend om haar innovatie. Maar het bedrijf dat nu met trots meer dan 50.000 verschillende producten verkoopt, waaronder de welbekende merken Post-it en Scotchtape, begon niet zo succesvol. Na de oprichting in 1902 ontdekten de vijf oprichters al snel dat het land dat ze hadden gekocht niet het natuurlijke schuurmiddel bevatte dat ze zochten, namelijk het mineraal korund. Als gevolg hiervan werden ze van leverancier aan de schuurmiddelen-industrie tot leverancier van schuurmiddelen[67].

De rest is, zoals ze zeggen, geschiedenis. In de loop van de tijd heeft 3M een indrukwekkende lijst van innovaties opgebouwd. Strikt genomen zijn de advertenties waarin 3M trots adverteert met haar innovatieve prestaties, erg geloofwaardig, maar voor de insider bevatten ze overbodige informatie. De waarheid is: 3M voegt al 100 jaar de daad bij het woord op het gebied van innovatie! Het bedrijf 3M staat bij een hoop mensen bekend als een erg innovatieve orga-nisatie.

Dergelijke sterke positie in de hoofden van mensen is echt een concurrentievoordeel. Tegenwoordig ijveren zelfs belastingadvi-seurs ervoor het imago van bedrijven te gelde te maken.

Het menselijk brein is een raar iets, en positionering speelt een belangrijke rol[68]. Terwijl consumentisten rillen bij de gedachte, geeft positionering de klant een gevoel van richting en selectie. Er is van-daag de dag zoveel informatie beschikbaar dat iedere vasthoudende poging om alles te verwerken gezien moet worden als een uiting van ongezonde informatiehonger. Consumenten zijn in feite marketing-communicatieveteranen, die per dag zo'n 1500 verleidingen tegen-komen.

Hebt u er ooit over gedacht om uw beste vrienden mee uiteten te nemen naar een onbekend restaurant? Hoogstwaarschijnlijk niet.

Mensen, en dus organisaties, willen risico vermijden. Ervaring met het merk of de reputatie biedt de potentiële klant tenminste nog een soort fatsoenlijke zekerheid. Hoewel benchmarkonderzoeken suggereren dat AMD-chips vergelijkbaar zijn met die van Intel, geven leken, de niet-IT-mensen onder ons, toch de voorkeur aan Intel. De 'Intel Inside'-campagne was het begin van dit kunststukje en communiceerde naar de eindgebruiker dat een computer met Intel erin een *compatible* computer was.

Positionering: in het brein van de klant

'Breinposities' dienen, wat consumentisten en antiglobalisten u ook willen laten geloven, het belang van de klant. Ironisch genoeg zijn zelfs de concepten Antiglobalisering en Naomi Klein zelf merken geworden. Wat inhoudt, zoals erkend wordt, dat ze verschillende betekenissen hebben voor verschillende segmenten. We hebben het hier over merken die de klant als zodanig waarneemt. Velen zullen niet weten dat Calvin Klein een merk van Unilever is. Het maakt velen waarschijnlijk ook niets uit. Hetzelfde geldt waarschijnlijk ook voor zakelijke klanten. Sir Ian Prosser, voorzitter van Six Continents, merkte al op: 'Ik vind het helemaal niet erg als mensen op straat niet weten dat Holiday Inn of InterContinental dochters zijn van Six Continents'. Precies, Sir Ian, zolang ze maar een van de 512.000 kamers bevolken!

Een bedrijf concurreert nooit alleen op basis van zijn huidige activiteiten. Een bedrijf (of instituut of iets dergelijks, zoals UNESCO, of uw lokale overheid) zorgt er door de activiteiten, de producten, diensten en merken die het voortbrengt voor dat het een bepaalde positie verovert in het brein van de maatschappij waarin hij opereert.

Het begrip 'merkmeerwaarde' verwijst naar de voordelen die er bestaan wanneer men een sterke positie inneemt in de gedachtewereld van huidige en toekomstige klanten. Die voordelen bestaan uit bekendheid, loyaliteit en associaties[69].

Beslissers beginnen door te krijgen dat het opbouwen van een merk belangrijk is. Zelfs een voormalig producer als Marc Coenen had het over het sterke *merk* Donna (een commerciële radiozender in België) en de noodzaak om het *merk* Studio Brussel (een publieke radiozender voor jongeren) te versterken nadat hij van Radio Donna was overgestapt naar Studio Brussel. De mensen bij Studio Brussel waren altijd al trots op het eigenzinnige karakter van hun radiozender. Maar wat is de waarde van een merk als de klanten wegblijven?

Het gaat echter om meer dan beslissingen op het gebied van merken. De manier waarop een organisatie, haar mensen of haar producten worden gezien door de maatschappij staat op het spel. Als zodanig verwijst imago naar de *cumulatieve aanwezigheid en de hiermee geassocieerde communicatie in de markt*. Reclamegoeroes leggen een te grote nadruk op de commerciële reclame en negeren de geschiedenis van een organisatie bij de ontwikkeling van haar reputatie te veel.

Denk aan BMW. Dit bedrijf heeft een geweldige reputatie opgebouwd op het gebied van sportieve, luxe en betrouwbare ontwerpen met zijn grootste productielijnen, auto's en motoren. '*Freude am Fahren*' verwoordt dit idee op een passende manier. We moeten echter niet vergeten dat de oorsprong van BMW erg verschilt met de reputatie die het vandaag de dag geniet[70]. Het is moeilijk voor te stellen dat iemand in 1917 kon voorzien wat de positie van BMW nu zou zijn.

Je hoofd erbij houden

Door fouten en succes, via *trial and error*, schrijft een bedrijf de software voor de hersenen van de klanten. De communicatietheoretici Watzlavick, Beavin en Jackson stelden eens: 'Men kan niet níet communiceren'[71]. Wat gebeurt er wanneer een van uw beste collega's u trakteert op een leuk etentje in een ontzettend duur restaurant, en het eten ver beneden uw verwachting is? Wanneer uw vriend u vraagt of het lekker was, zult u beleefd proberen te blijven en zeggen dat het iets speciaals was. We zijn echter niet opgeleid tot acteurs die snel kunnen improviseren. Uw gedrag en uw non-verbale communicatie zullen waarschijnlijk een ander verhaal vertellen, en uw werkelijke oordeel verraden.

Wanneer we het eerder genoemde adagium van Watzlavick, Beavin en Jackson vertalen naar strategische marketing, luidt het als volgt: 'Men kan niet níet positioneren'. U neemt *altijd* een bepaalde positie in in het brein van uw klant. Of deze positie het zakendoen vergemakkelijkt is een ander verhaal. Als uw verkopers ieder een ander verhaal houden bij eenzelfde grote account, zal deze klant, in de woorden van Led Zeppelin, verdwaasd en verward achter blijven. Uw bedrijf wordt gezien als een ongeordende bende. Zo'n positie kan misschien in beton gegoten zijn, het is waarschijnlijk geen productieve.

Kunt u zich de gesprekken tijdens de lunch met uw collega's twee jaar geleden nog herinneren? Vaak gingen deze gesprekken over geld en hoe in een zo kort mogelijke tijd rijk te worden. Zelfs een gezellige barbecue met uw familie ontaardde vaak in een vergelijkend warenonderzoek naar de aantrekkelijkste nieuwe speeltjes op de AEX, de Easdaq, de Nasdaq of de NYSE.

Wat een verschil met de situatie van vandaag! Een ogenschijnlijk onophoudelijke stroom slecht nieuws heeft bereikt wat waarschijnlijk zelfs Alan Greenspan voor een utopie hield: een langdurige bergafwaartse achtbaanrit van aandelenprijzen wereldwijd. Het gigantische casino waar iedereen kón winnen verwerd tot een financieel slachthuis waar iedereen móet verliezen, zo lijkt het. Toegegeven, het was een nogal sterke uiting van positionering: de dotcomimplosie, het bezwijken van Enron en WorldCom, frauduleuze financiële rapportages bij andere bedrijven, 11 september, de langdurige financiële crisis, de ondermaatse winstgevendheid van hightechbedrijven... Geen wonder dat Jim Hartman, een Amerikaans financieel adviseur, verklaarde 'Ik heb er geen vertouwen in om iemand één bepaald aandeel aan te bevelen. Dat is niet vanwege iets wat ik weet. Het is vanwege datgene wat ik niet weet.' Men kan niet níet positioneren.

In de snelle wereld van de consumentengoederen kan een bepaald merk floreren terwijl een ander bezwijkt. Er is een darwinistisch evolutionair patroon in de samenstelling van de portfolio van merken van een organisatie. Daarom is Electrolux van plan het aantal merken dat het op de markt heeft terug te brengen, in de lijn van de beslissingen die FMCG-giganten Procter & Gamble en Unilever hebben genomen. De heer Straberg, hoofd van de vloerverzorgingsdivisie van Electrolux, verklaart: 'Ons doel is om een betrouwbare en vertrouwde partner te worden van onze klanten en retailers. Dat betekent dat we een klein aantal sterke merken nodig hebben. We kunnen er niet te veel hebben.' Op dit moment heeft Electrolux meer dan 50 merken.

Het is echter wel zo dat voor veel andere bedrijven, zoals leveranciers van industriële producten of diensten, retailers, consumentendienstverleners en instituten, er maar één merknaam is: de bedrijfsnaam. Deze bedrijven hebben als voordeel dat ze maar één merk hoeven op te bouwen. Het is wel zo dat wanneer er iets met dat merk gebeurt, het hele bedrijf in gevaar is. Toen ze te horen kregen wat de rol van Arthur Andersen was bij de belemmering van de rechtsgang in de Enron-zaak, wist elke nieuw benoemde partner bij Arthur Andersen meteen dat zijn of haar rooskleurige toekomst er ineens minder rooskleurig uit ging zien. De brand in Houston werkte verstikkend voor medewerkers over de hele wereld.

Het kan ook anders. 7-Up, Aston Martin, Bollinger, Bombardier, British Airways, Finlandia, Ford, Jaguar, Norelco, Omega, Revlon, Samsonite, Visa – allemaal merken met een vaste plaats in de merkencompetitie – krijgen net allemaal dat beetje meer glans en cachet wanneer ze in contact komen met Halle Berry en Pierce Brosnan in de film *Die Another Day*. Kwestie van de juiste 'vehikels'. *Buy Another Day?*

Brandschade

We zijn verbaasd over het totale gebrek aan marketinginzicht dat managers vertonen wanneer ze zich bezighouden met de merknamen van één bedrijf. Behalve dat een sterk merk een belangrijk concurrentievoordeel kan zijn, moet u het ook koesteren. Toen hij werd geïnformeerd over de besmetting van blikjes Coca Cola in België, schamperde de toenmalige CEO Doug Ivester: 'Waar ligt België in vredesnaam?' In tegenstelling tot wat men in Europa over het algemeen denkt vanwege het veelvuldige gebruik ervan in Amerikaanse films, wordt vloeken in de Verenigde Staten niet zo licht opgevat. Het PR-antwoord van Coca Cola was net zo inadequaat als Ivesters ad rem geschamper, wat zorgde voor een substantieel verlies. Ivester werd ontslagen.

Een sterke reputatie is als een schat, die men op waarde dient te schatten. Stork bezit het imago een betrouwbare partner te zijn voor industriële diensten. Het is echter wel zo dat vanwege de segmenten waarop het zich heeft gericht in de voorgaande decennia, het bedrijf Stork sterk de associatie wekt conservatief te zijn. Het is moeilijk om succesvol te worden met de naam Stork in de IT-industrie. Zoals de Belgische mediamagnaat Christian van Thillo opmerkte: het gaat erom geen rotzooi- maar een vertrouwensmerk te zijn.

Om op dat laatste eens door te gaan, merken als Marlboro en McDonald's liggen zwaar onder vuur. Er zijn veel consumenten die bijzonder positief op de marketingcommunicatie van dergelijke organisaties lijken te reageren en hun waardering omzetten in de consumptie van sigaretten en hamburgers. Echter, diverse groepen consumenten die nu met gezondheidsproblemen kampen, proberen nu deze fabrikanten aan te spreken op hun verantwoordelijkheden. Blijkbaar is de combinatie van sigaretten roken en het halen van een vette bek niet afschrikwekkend genoeg voor sommigen...

Men heeft het in dit verband vaak over een *umbrella* strategie, waarbij één sterk merk bescherming biedt voor meerdere produc-

ten. Marketing executives zou gezegd moeten worden dat een dergelijke 'paraplumerkenstrategie' vaak een sterkere associatie oproept
met regen dan met zonneschijn. Een sterke reputatie werkt in het
voordeel in bepaalde segmenten en in het nadeel in andere. Het naar
boven of naar beneden uitbreiden van de merkenportefeuille moet
u aanpassen aan de verwachtingen van de klant, zal misschien hevige reacties oproepen van concurrenten die zich ingegraven hadden
en de verkoop- en distributiekanalen moeten in staat zijn om zo'n
aanbod te kunnen verkopen.

We merken dat ook aan het vroegere kroonjuweel van Italië,
Fiat. Eens een grootmacht in Italië en Europa, eigenaar van het
legendarische Ferrari, zit het merk nu in de lappenmand. Een Fiat
koopt men in Italië omdat het een traditioneel gebruiksvoorwerp is,
en niet omdat het een 'sexy of betrouwbare auto is', volgens een
potentiële koopster. Vandaar dat het resultaat van de Fiat Stilo
tegenvalt. Op de markt gezet om het imago van Fiat te verbeteren,
volgestopt met elektronische snufjes, kost deze auto meer dan men
van een Fiat verwacht. Men denkt nu aan de introductie van een qua
uitrusting afgeslankte Stilo.

De retailer Sainsbury's uit Groot-Brittannië probeert nu het *low
end* van de markt te penetreren door het op proef lanceren van zes
'Savacentres'. Zal het werken? Dat moeten we nog maar afwachten.
Concurrenten besluiten misschien om in de omgeving van de
Savacentres campagnes te voeren met lage prijzen. Wat voor effect
zal dit hebben voor Sainsbury's? Dat moeten we ook nog maar
afwachten. Tesco en Asda, de nummers 1 en 2 in de Britse super-
marktwereld, kondigden al aan hun prijzen te verlagen als een reactie op de verwachtingen van hun klanten nu de economie niet echt
meewerkt.

Het commerciële gezonde verstand van marketeers moeten we
ook beoordelen op hun honger naar focus. Het antwoord, zo lijkt
het, zijn zwaargewichten als marketeers. De inzet is gigantisch, net
als de investeringen. De 500 miljoen euro die Heineken jaarlijks uit-

geeft aan reclame vormen slechts een deel van de oplossing. Uithoudingsvermogen is ook noodzakelijk. 'Naast een onvermoei-bare toewijding aan marketing en een grote hoeveelheid geld, hebt u ook 20 jaar nodig om het merk op te bouwen', zegt Karel Vuursteen, voormalig bestuursvoorzitter van Heineken.

Je hoofd niet verliezen

Net zo belangrijk: de uitgangspositie moet geweldig zijn. Een product dat aan het begin slecht is gepositioneerd heeft er altijd moeite mee zich te herstellen. Hoe herschrijft u slecht geschreven software in het brein van uw klanten? Mercedes zag slechte tijden tegemoet toen zijn nieuw op de markt gebrachte Mercedes A-klasse omviel bij de elandproef. De Ford Scorpio zag er zo *raar* uit – een positievere omschrijving hebben we niet –, dat we spontaan dachten aan een heffing voor visuele milieuverontreiniging. En hoe overtuigt Nike jongeren ervan om de cool motion-shirts te kopen nadat de Braziliaanse voetballer Edmilson een aantal minuten nodig had om het shirt weer aan te trekken tijdens de WK-finale in 2002? Een mooi voorbeeld van demonstructie in het veld.

Hoe langer er aan een reputatie is gewerkt, hoe moeilijker het is om deze aan te passen. Het herpositioneren van een bestaand product kan tot veel hoofdbrekens leiden. De regering-Bush, in de nadagen van 11 september, werd door veel Europeanen gezien als een schietgraag stelletje, klaar om de geliefde landgenoten te wreken die bij die afschuwelijke aanval waren omgekomen. Of Bush, Cheney, Rumsfeld en de hunnen echt zo schietgraag zijn, valt buiten het aandachtsgebied van dit boek. De acties van de Amerikanen in Afghanistan en hun uitlatingen over de assen van het kwaad werden gevolgd door een consistent patroon van nogal radicale acties in het belang van Amerika, zoals de eenzijdige terugtrekking uit de Kyoto-overeenkomsten en de tariefverhogingen voor staal. De redacteur van een van de leidende kranten in België noemde in zijn column de daad van Bush om de Kyoto-normen in de prullenbak te gooien 'crimineel'.

Dit verklaart ook waarom er een zwaargewicht benoemd werd om de zaken om te gooien. De minister van buitenlandse zaken, Colin Powell, verklaarde de benoeming van Charlotte Beers, een vrouw met veertig jaar ervaring bij de reclamebureaus van Madison Avenue, als volgt: 'Er is niets mis met het benoemen van iemand die weet hoe zij iets moet verkopen. Wij verkopen een product. We hebben iemand nodig die het buitenlandse beleid van Amerika opnieuw kan merken, die de diplomatie opnieuw kan merken'. Herpositionering, waarde Colin, is een moeilijke taak. Zelfs als Bush junior een tweede termijn als president krijgt, blijft het moeilijk om dit voor elkaar te krijgen.

Wegwijzers

1. Positionering vindt plaats in het brein van de klant.
2. U kunt niet niét positioneren; uw bedrijf en uw product nemen altijd een plaats in in de geest van uw klant.
3. Positionering is het gevolg van langetermijncommunicatie en de cumulatie van ervaringen met uw merk.
4. U schrijft zelf de software in de hersenen van uw klant, en het herschrijven is een heidens karwei.
5. U kunt uw merk koesteren of beschadigen; een merk heeft focus nodig.

HOOFDSTUK 16

Het aanbieden van een nieuwe strategie

Het optiescorebord

'Als je doet wat je altijd deed, krijg je wat je altijd kreeg.'

Albert Einstein

De marktstrategie die Bart, een industriële marketeer in een Amerikaanse multinational, voorstelde, was schitterend bedacht en omvatte voor de doelgroep (de medische wereld) een uitstekende klantwaardepropositie en een hoge mate van efficiëntie. Winst verzekerd, zo leek het.

Eén netelig punt trok onze aandacht. De voorgestelde strategie besteedde belangrijke deelactiviteiten uit. 'Uitbesteding' was echter niet een term die bovenaan stond op het verlanglijstje van het management. We vroegen aan Bart hoe hij daarmee zou omgaan. 'Strictly speaking', antwoordde hij, 'is dat niet mijn probleem.' Waarop wij terugkaatsten: 'Indien de directie niet akkoord gaat met je uitbestedingsvoorstel, heb je, strictly speaking, geen business volgend jaar.' Bart begreep de suggestie, en maakte een plan waarmee hij rekening hield met deze mogelijkheid. Later datzelfde jaar werd zijn plan verkozen als een van de twintig winnende plannen wereldwijd.

Een interne offerte ter goedkeuring door de directie

Een business roadmap, zo hebben we aangegeven bij de inleiding van deel III, *is een superieure synthese over hoe uw onderneming in de toekomst zal concurreren*. U beoogt een waardepropositie voor uw klanten te ontwikkelen. Laat ons een andere definitie voorstellen: *een marketingplan is een interne offerte voor het management van uw onderneming met het doel de budgetten en de middelen te verkrijgen om volgend jaar aan de slag te kunnen*.

Veel managers zijn uitermate gefrustreerd omdat ze in moeilijke tijden, na slopende onderhandelingen met klanten of distributeurs, ook nog eens intern een verbale vechtpartij moeten opstarten om het eigen management te overtuigen van hun gelijk. Dit voelt inderdaad frustrerend aan. Veel van deze frustraties kunt u vermijden indien u evenveel zorg besteedt aan de interne offerte voor uw management als aan de externe offertes voor uw klanten! U moet niet alleen een waardepropositie opbouwen voor de klanten, maar eveneens voor de directie!

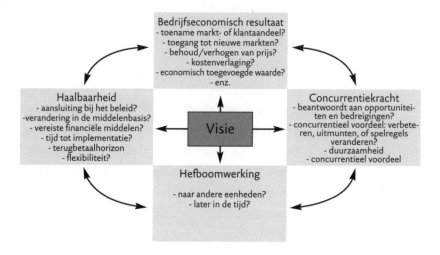

Het Scorebord van Strategische Opties

Een business roadmap omvat verscheidene strategische opties, dat wil zeggen: investeringen in mensen en middelen die de waardepropositie van het huidige businessmodel verbeteren voor de klanten en/of de aandeelhouders. Wees gerust, er is zelden een tekort aan strategische opties. Een goede brainstormsessie met een geïnspireerd team levert u binnen het bestek van een paar uur tijd gemakkelijk tien, ja, zelfs twintig strategische opties op. Kwantiteit is niet het probleem, kwaliteit des temeer. En zelfs indien alle opties uitstekend zijn, dan nog zal het management verplicht worden keuzes te maken (zie hoofdstuk 17). Het optimaliseren van de concurrentieslagkracht van uw onderneming dwingt u immers te kiezen: u wilt een maximale slaagkans geven aan de allerbeste opties.

Wat is dan een *goede* optie? Anders gesteld: op basis van welke criteria rangschikken managers investeringen in *'moeten we doen'*, *'belangrijk'* en *'aardig om te hebben'*? Managers, zo leert onderzoek en ervaring ons, evalueren een strategische optie op basis van vier criteria[72]. Een strategische optie moet *concurrerend* zijn: hij moet een concurrerende propositie bieden ten opzichte van andere ondernemingen. Vervolgens moet het eveneens *haalbaar* zijn om de strategische optie te realiseren. Indien een strategische optie aan deze twee voorwaarden voldoet, volgt de derde factor hieruit, de *bedrijfseconomische resultaten*. Deze drie factoren zijn zogenaamde *'moeten we hebben'-factoren*. Ons onderzoek en de ervaring leren ons eveneens dat ondernemingen er goed aan doen een vierde, *'aardig om hebben'*-factor mee te nemen in hun beslissingproces, namelijk de *hefboomwerking* die een optie creëert voor toekomstige opties.

Concurrentiekracht: kunnen we winnen?

De interne offerte, de business roadmap met de strategische opties, moet een concurrerende waardepropositie mogelijk maken. Een eerste checkpoint betreft de mate waarin dit plan een concurrerend antwoord biedt op de geïdentificeerde kansen en bedreigingen.

Laat ons u een publiek geheim vertellen. Externe adviseurs zijn zelden in staat zélf een concurrerend plan te ontwikkelen voor hun cliënten. Ze munten echter uit in het afpunten van de consistentie in het plan. Wij merken heel vaak op dat er onvoldoende, soms zelfs geen enkele, correspondentie bestaat tussen de kansen en bedreigingen enerzijds, en de geformuleerde strategische opties anderzijds. Dit is *Thatcheriaanse strategie*, in *splendid isolation* van de rest van de wereld.

Evalueer uw opties ook met betrekking tot het concurrentievoordeel dat opgebouwd wordt. Biedt het een kleine dan wel een substantiële verbetering op bestaande voordelen, of biedt het een mogelijkheid om de bestaande spelregels in de markt te veranderen en een totaal nieuwe klantwaarde te ontwerpen? Blijft u in dezelfde arena of verplaatst u de arena? Het zijn vaak die strategieën die de spelregels veranderen die een seismische impact op marktstructuren hebben. De *search engine* Google was een verademing in het internetlandschap. Het rekende af met de nutteloze *banners*, bleek onstuitbaar in de grondigheid waarmee het www werd afgeschuimd en muntte uit in eenvoud.

De laatste vraag betreft de duurzaamheid van het opgebouwde concurrentievoordeel. Hoe snel kunnen concurrenten een vergelijkbaar recept klaarstomen? Het met alle geweld nastreven van een concurrentievoordeel dat morgen reeds geïmiteerd of zelfs verbeterd wordt, bezorgt u tijdelijke ademruimte en langdurige hoofdpijn. De onderneming wordt immers naar het commerciële niemandsland in de banaliseringsmatrix gedreven (zie hoofdstuk 10). De manager van een onderneming laakte duidelijk de beperkte duurzaamheid van een gekozen lageprijsstrategie en het lage rendement dat daaruit volgde: 'Het is alsof we koelkasten verkopen aan eskimo's.'

Haalbaarheid: kunnen we het realiseren?

Een strategie moet niet alleen concurrerend zijn, maar eveneens haalbaar. Onze grootouders beklemtoonden het reeds in onze prilste jeugdjaren: het gaat er in het leven vaak om de *gulden middenweg* te vinden. In een portfolioanalyse van de strategische opties van een onderneming is de mand vaak gevuld met veel realistische, stapsgewijze, kortetermijnprojecten, en een aantal omvangrijke, langetermijn- en riskante projecten.

Het management verkiest '*sure winners*', en stelt zich zeer afwachtend op bij de riskantere projecten. Mogen we een waarschuwende vinger opsteken? De zogenaamde gegarandeerde klappers zijn verre van verzekerde successen, want door hun incrementele karakter kunnen andere ondernemingen ze evenzeer creëren. Je zoekt met andere woorden op een zeer onhandige manier eigenhandig het verdoemhoekje in de banaliseringsmatrix op. Ook de grote, riskante projecten leveren zelden op wat ervan verwacht wordt. Door een lethargische uitvoering zijn langetermijnprojecten vaak voorbestemd om onderuit te gaan.

Een eerste vraag die u moet stellen en die *créateurs de strategie* vaak vergeten, is wat de aansluiting is tussen de voorgestelde strategie enerzijds, en het beleid en de missie van de onderneming en de mening van het topmanagement anderzijds? Dit is het frustrerende moment dat iedere ervaren rot in het marketingvak ooit heeft meegemaakt. U weet dat u gelijk hebt, maar u krijgt het niet! Er is geen overeenstemming met het beleid van de onderneming. Indien het topmanagement ervan overtuigd is via distributeurs te willen werken, staat het u vrij een strategie voor te stellen die de eindklant rechtstreeks bewerkt. Hoogstwaarschijnlijk retourneert de directie uw voorstel met een meewarig maar gedecideerd *njet*.

Hans Herpoel van Deceuninck Plastics hanteert hiervoor de metafoor van het 'kantelmoment'. Een verandering initiëren in uw onderneming kunt u vergelijken met het omverhalen van een rij zware, hoge dominostenen. De zwaarste en hoogste steen bevindt zich vooraan, en is vaak de inertie van de ondernemingstop. Duwen tegen die eerste steen ridiculiseert slechts uw eigen positie. Het is uw taak het thema in een kweekvijver levendig te houden, en te wachten tot er, door veranderende omstandigheden, twijfel opduikt in het hogere echelon. De eerste steen begint te kantelen… Dan moet u duwen…. De rest volgt wel.

De marketingdirecteur van een elektronicabedrijf besloot zich toe te leggen op *resident engineering*, oftewel de gezamenlijke ontwikkeling met en bij de klant. De keuze voor deze strategische optie, die een differentiatie in het klantenproces inluidde, verhoogde de orders met 50 procent. De directeur gaf toe: 'Het was geen keuze van ons, het was gewoon noodzakelijk.' Het kantelmoment voor verandering was bereikt.

Een tweede vraag betreft de verandering in de middelenbasis van de onderneming. In welke mate moeten de kernprocessen en dito activa van het huidige businessmodel aangepast worden? Re-engineering klinkt als een rechttoe, rechtaan technische ingreep, maar het falen van velen herinnert ons eraan dat ingrijpende organisatieveranderingen een zware wissel op de haalbaarheid trekken. De omslag van een bureaucratisch apparaat als de publieke Vlaamse omroep naar een marktgerichte VRT behelsde een enorme bijsturing van de structuren en de bedrijfscultuur. De zoektocht naar televisiekijkende meerwaardezoekers werd verscheidene, voorheen waardevolle medewerkers noodlottig. Voor een aantal betrokkenen in de topechelons is het een bittere ondergang geworden, een strijd die in de dagbladen verder werd uitgevochten.

Onder de synergievlag worden veel riskante initiatieven als haalbaar met stip genoteerd. Maar zelfs het zo succesvolle *Woestijnvis* verslikte zich in *Bonanza*, het tijdschrift dat met *Humo* de concurrentie zou aangaan. Spraakmakende programma's maken zit de medewerkers van *Woestijnvis* in de genen ingebakken (*De Mol, Man bijt hond, Alles kan beter*). Een spraakmakend tijdschrift tot een succes uitbouwen ging hun organisatorische spitsvondigheid te boven.

De oplossing, zo suggereren velen, wordt gebracht door netwerking. Allianties en virtuele structuren variabiliseren de kosten en beperken ogenschijnlijk de risico's. Echter, daar waar ondernemingen allianties aangaan om de flexibiliteit en de omloopsnelheid te verhogen, blijkt in de praktijk vaak dat exact de tegengestelde resultaten behaald worden. Netwerken kennen veel operationele en culturele *ins* en *outs*, en de aansluiting tussen bedrijven is niet verzekerd wanneer deze zogenaamde details uitgewerkt worden.

Gerelateerd aan het voorgaande zijn de vereiste financiële middelen om de strategische opties uit te voeren en hoe deze kapitaalsinvesteringen gespreid zijn in de tijd. Het investeren van financiële middelen impliceert de onvermijdelijke vraag van de terugverdienperiode. Wat is de '*time to market*' van de voorgestelde strategische opties?

Een goede analyse maakt het mogelijk ook hier ogenschijnlijk riskante opties te selecteren. Het bestuur van een klein, hoogtechnologisch bedrijf was zeer kritisch ten aanzien van een investering die evenveel bedroeg als de jaaromzet, en die pas in het zevende jaar commercieel zou worden gelanceerd. Een grondige analyse van het programma gaf echter aan dat de eerste twee jaren een haalbaarheidstudie betroffen die weinig middelen vereiste om het technisch innovatieve idee, waarvoor ondertussen een patent was aangevraagd, verder te toetsen. Aan het einde van de eerste twee jaar werd een beter inzicht verkregen in de doelmarkt en bleven alle opties voor verdere investering open (zelf financieren, venture capital, verkoop van patent). Wat op het eerste gezicht een merkwaardige utopie leek, bleek bij een gedegen analyse een zeer levensvatbare optie.

Een laatste vraag betreft de flexibiliteit. Welke mogelijkheden hebt u om bij te sturen zodra u de opties implementeert? Laat ons dit illustreren! In openbare gebouwen is een aanduiding van de nooduitgangen verplicht. U verwacht niet dat zich ieder moment een pyromaan aandient die brandende lucifers kwistig rondstrooit. Maar *indien* het brandt, moet u het gebouw zo spoedig mogelijk kunnen verlaten.

Marketingstrategieën worden nogal eens gedrenkt in een stevig misplaatst optimisme. Dit is gelijk aan het construeren van een gebouw zonder nooduitgangen. Indien het verkeerd afloopt, zijn de verliezen niet te overzien. Een vooraanstaand manager meldde ooit: 'We wisten dat het niet zou lukken. Maar we hadden reeds 150 miljoen geïnvesteerd. We hebben de laatste 10 miljoen in feite geïnvesteerd om zeker te zijn dat we verkeerd waren.' Er is een wereld van verschil tussen het financiële principe en de psychologische ervaring van '*sunk costs*'.

Optimisme is, zoals aangegeven in hoofdstuk 4, een sympathieke vorm van domheid. Daar heeft niemand behoefte aan. Rationaliteit, creativiteit en enthousiasme, dát zijn de vereiste eigenschappen.

Resultaat: wat brengt het op?

Indien, op basis van een gedegen analyse, de opties haalbaar én concurrerend zijn, dan volgen logischerwijze de bedrijfseconomische resultaten. Deze bedrijfseconomische resultaten kunnen van velerlei aard zijn, en zowel resultaten op de korte en de middellange als op de lange termijn inhouden:

- toename van marktaandeel (*market share*);
- toename van het aandeel in de inkopen van de klant (*share of customer*);
- toegang tot nieuwe markten of nieuwe distributiekanalen;
- behoud of verhoging van de prijzen;
- verhogen van de marges;
- toename van de economisch toegevoegde waarde.

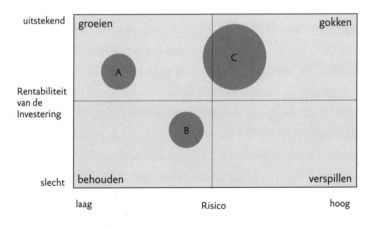

De Rentabiliteit/Risico-Analyse van Strategische Opties

Deze lijst is verre van volledig. Afhankelijk van de gemaakte keuzes kunnen de opties grafisch weergegeven worden in één of meer portfolioanalyses. Wij hebben hier een *resultaat-risicoportfolio* opgenomen. In de figuur zijn drie opties weergegeven: global accountmanagement (A), de ontwikkeling van een nieuw product platform (B) en de lancering van een e-commerceplatform (C). De omvang van de cirkels geeft de vereiste investeringen weer, de verticale dimensie het rendement, en de horizontale dimensie het risico (de kans dat u de optie niet succesvol realiseert). Dergelijke analyses worden aangevuld met andere analyses (bijvoorbeeld flexibiliteit en duurzaamheid), maar de uiteindelijke keuze wordt gemaakt door het management, niet door het plaatje.

Hefboomwerking: wat kunnen we er nog meer mee doen?

Indien marktstrategie A net als marktstrategie B een investering vereist van € 1.000.000, en in de volgende jaren netto € 7.000.000 genereert, maar in tegenstelling tot strategie B ook toegepast kan worden in andere bedrijfseenheden van uw onderneming, dan zal optie A de voorkeur verkrijgen. Positieve *spin-offs* voor andere onderdelen in het bedrijf is een *'aardig om hebben'-factor* met een hoge impact.

Een CRM-investering kan voor één bedrijfsonderdeel reeds voldoende rendement opleveren. Meestal is een dergelijke investering ook nuttig voor andere divisies in uw onderneming. Kijk, aantoonbare synergieën, daar hebben we nou wel een positief woord voor over.

Bij de hefboomwerking moet u zich ook afvragen of een investering een *'one shot affair'* is, dan wel of het een investering betreft waar u in de toekomst nog verder op kunt bouwen. Indien een strategie een bruggenhoofd vormt dat in de toekomst nog meerdere kansen zal bieden, is dit opnieuw *'aardig om hebben'* met een hoge aaibaarheidsfactor voor het topmanagement. De ontwikkeling van een nieuwe discountformule vergroot misschien niet alleen de omzet bij de bestaande klanten, maar kan eveneens een manier betekenen om een voorheen onbereikbaar segment te beleveren.

Wegwijzers

1. Een marketingplan is zowel een intern voorstel aan uw management als een extern voorstel aan uw klanten.
2. Uw voorstel staat of valt met de steun van het topmanagement.
3. Er zijn drie criteria waaraan uw voorstel moet voldoen: economisch resultaat, concurrerend vermogen en haalbaarheid.
4. Het is fijn als uw voorstel een hefboomwerking heeft naar andere divisies in uw onderneming of naar de toekomst.
5. Het optiescorebord biedt u een overtuigend beeld van de levensvatbaarheid van uw oplossing.

DEEL IV

Doen

Het startpunt en het einddoel van uw reis zijn nu bekend. Er rest u nu alleen nog de reis écht aan te vangen! Net als in een echte reis impliceert business roadmapping diverse etappes, en een goede uitrusting, om het einddoel te bereiken.

HOOFDSTUK 17

Kiezen of verliezen

Strategisch denken én strategisch handelen

'De essentie van strategie is kiezen wat je niet zult doen.'

Michael Porter

B usiness roadmapping betreft de formulering en implementatie van beslissingen die als doel hebben een duurzaam concurrentievoordeel te ontwikkelen. Dit leidt tot een superieure winstgevendheid op de lange termijn. Dit klinkt eenvoudig, niet?

Was de realiteit maar zo simpel. Ooit werden we ingeschakeld om het opleidingsprogramma te verzorgen voor een Scandinavische IT-groep. De directie had een globaal plan voor de toekomstige marktstrategie ontvouwd. Dit plan zullen we hier duiden als IVAS (*'Improved Value Added Services'*). Vóór we aan de slag gingen met de commerciële medewerkers werd ons gevraagd om een *proefpresentatie* te verzorgen voor de directie. Het blijkt dat men niet alleen nieuwe televisiefeuilletons lanceert via proefafleveringen!

We legden het principe van business roadmapping uit en we splitsten de directie in twee groepen op om een businessmodel te genereren. De eerste groep maakte het huidige businessmodel van de onderneming op, de tweede groep vertaalde het IVAS-beleidsplan in een businessmodel.

Naderhand bezocht de tweede groep de eerste en liet zich door het huidige businessmodel heen leiden. Het was een goede analyse, zo vonden ze, en het was een accurate weergave van de klantwaardepropositie en de diverse kernprocessen. Goedgeluimd wandelden de heren en dames vervolgens naar de discussiekamer waar groep twee het IVAS-businessmodel op het bord had getekend.

Met het huidige businessmodel nog fris in het hoofd geprent, zag je de verbazing zich meester maken van de verzamelde groep directeuren. Het oorspronkelijke IVAS-beleidsplan was opgesteld zoals veel strategisch proza: grote ambities, weinig concrete doelstellingen, gevaarlijke aannames en barstend van de operationele vaagheden. Nu het verhaal handen en voeten kreeg in een businessmodel, bleek voor het eerst welke spectaculaire stap de totale organisatie diende te nemen.

Na deze introductie aan het topmanagement werden ook alle commerciële medewerkers door een opleidingsprogramma in strategische marketing geloodst. Er werd ons echter door de directie duidelijk gemaakt dat in de plenaire sessies en de diverse workshops alleen over het verleden en het heden mocht worden gepraat. De realiteit overtreft de fictie. De ogenschijnlijk duidelijke toekomst was niet slechts *terra incognita,* het bleek ook *terra non grata* te zijn.

IVAS vond nimmer een succesvolle implementatie.

Blijven winnen

De daadwerkelijke betekenis van marketing is weten wat waardevol is voor de klant. Indien er geen waarde geleverd wordt voor de klant, wordt het moeilijk waarde te leveren aan aandeelhouders. Een onderneming is niets meer of minder dan een entiteit die de klanten en de aandeelhouders waarde brengt. 'Er zijn binnen bedrijven alleen kostencentra. Het enige profitcenter is een klant wiens cheque niet geweigerd wordt', vat Peter Drucker in zijn geheel eigen stijl de problematiek samen.

Strategie heeft tot doel dit waardesysteem op duurzame wijze uit te bouwen. Dit wordt mooi samengevat in het bekende citaat uit *Alice in Wonderland* (Lewis Caroll, 1865):

'Cheshire Kat', begon Alice nogal bedeesd […], 'kunt u me alstublieft vertellen welke richting ik van hieruit moet opgaan?'

'Dat hangt af van waar je naartoe wilt gaan', zei de Kat.

'Het maakt me niet zo veel uit waarheen', zei Alice.

'Dan is het niet belangrijk welke richting je uitgaat', zei de Kat.

'Zolang ik maar ERGENS uitkom', voegde Alice er ter verduidelijking aan toe.

'Oh, dat zal zeker lukken', zei de Kat, 'als je maar lang genoeg wandelt.'

Veel ondernemingen opereren in een hels tempo – vandaag in deze markt, morgen in een andere – en bewerkstelligen ondertussen hun eigen ondergang. Het realiseren van een duurzaam concurrentie-voordeel is blijkbaar niet eenvoudig. Van de 100 grootste industrië-le ondernemingen in 1980 in de VS verbeterden er in een tijdsspan-ne van nauwelijks twaalf jaar achttien hun positie, dertien hand-haafden hun plaats in de rangschikking, 25 gingen achteruit, en 44 verdwenen uit de lijst[73]. Keynes waarschuwde ons reeds dat de lange termijn een terminaal proces impliceert voor iedereen. Maar twaalf jaar is niet de horizon die managers bestempelen als lange termijn wanneer het hun ondergang betreft.

Onderzoek op het bedrijfsniveau komt tot dezelfde ontstellende conclusie. In een beperkte tijdsspanne kan het resultatenverschil tussen de zogenaamde grote winnaars en de geboren verliezers zeer snel afnemen. Een analyse van de PIMS-data bevestigt dit. Het enor-me verschil van 36 procent in ROI in 1971 (39 procent voor de win-naars, 3 procent voor de verliezers) was gereduceerd tot 3,5 procent in 1980 (21,5 procent voor de winnaars, 18 procent voor de verlie-zers)[74].

De beelden van een extatische Louis van Gaal op het Museum-plein, eind 1995, blijven op ons netvlies gebrand. Ajax was, zo dreun-de de massa met Van Gaal mee, de beste ploeg van Nederland, van Europa, ja, zelfs van de hele wereld. Ze waren net zegevierend terug-gekomen uit Tokio met de wereldbeker, na het Braziliaanse Gremio gevloerd te hebben. De prestaties van Ajax zijn sindsdien minder ravissant. Blijven winnen is geen sinecure. Zelfs het grote Ajax ver-loor ooit een Europese finale tegen een team uit Mechelen dat momenteel vecht tegen het bankroet.

De onproductieve rituelen van een regendans

Hoe kan dit? Een hoop knappe koppen, gekleed in dure maatpakken, organiseren ieder jaar tijdens het begrotingsoverleg diverse ceremonies in het kader van de strategische planning. Hierbij houden ze zich rijkelijk onledig met velerlei rituelen die naar verluidt de toekomst veilig stellen. Begrotingsrondes, goedkeuringen, adviseurs, spreadsheets, simulaties: alle functies en dito jargon passeren de revue.

Toch zet dit ritueel zeer vaak het volgende jaar weinig zoden aan de dijk. Het lijkt wel of de door bedrijfsmensen vaak verguisde politici hebben deelgenomen aan de strategiebepaling: veel beloften, waardeloze uitvoering. 'Veel strategische planning is als een rituele regendans; het heeft geen effect op het weer dat volgt, maar degenen die het uitvoeren denken van wel', stelt James Brian Quinn. Wanneer iemand de straat op gaat in een van de Beneluxlanden, de nieuwste gettoblaster op volume 10 zet, en Metallica laat brullen, is er een reële kans dat het zal regenen. Elk oorzakelijk verband ontbreekt echter. Het regent gewoon erg vaak in de Lage Landen.

Externe adviseurs kunnen de strategie op een hoger peil helpen, maar zij belichamen vaak eerder een verdere verfijning van de rituelen dan een verbetering van de output. Bovendien noopt de huidige laagconjunctuur menig adviseur tot het ontwijken van fundamentele vragen. Dit kan immers goede relaties bezwaren.

In de film *Moulin Rouge* merkt hoofdactrice Nicole Kidman op: 'Ik ben een courtisane. Ik word betaald om mannen te laten geloven wat zij willen geloven.' Vervang het woord courtisane door consultant, en je doet de waarheid weinig geweld aan.

In onze beleving kunnen vooral de eigen medewerkers een uitermate belangrijke rol vervullen in het strategische proces. Daar moet de directie evenwel open voor staan. Zo merkte de CEO van een bank tijdens een gastpresentatie voor een dertigtal van zijn eigen marketeers nogal bars het volgende op: 'Wij hebben geen behoefte aan mensen die nadenken over strategie. Dat doet de directie wel. En maar om de vier jaar, want anders verandert het te veel.' Je zag het denken tot stilstand komen in de zaal.

Een superieure synthese

Onze definitie van een business roadmap is zeer eenvoudig: *het is een superieure synthese die bepaalt hoe je in de toekomst zult concurreren.* De strategie moet *superieur* zijn. Uw onderneming moet een concurrerende waardepropositie bieden aan de klant. Het moet evenzeer een *synthese* vormen, die op eenvoudige wijze duidelijkheid verschaft voor alle betrokkenen.

Beeldt u zich eens een soldaat in die zich, binnen schootsafstand van de vijand, afvraagt wat hij moet doen, vervolgens als een fanatieke gek door het soldatenhandboek bladert, en uiteindelijk het antwoord vindt op pagina 57, bij opsommingsteken 12: 'Beantwoord het vijandig vuur. Schiet terug!' Kunt u zich dit voorstellen?

Helaas is dit heel vaak de prozaïsche verpakking van een nieuwe marktstrategie: dikke pakken papier waarin op onnavolgbare wijze stijlvolle proza, dubieuze data, vage stellingen en breedsprakige concepten ('heeft u onlangs nog een kerncompetentie gedefinieerd?') worden gebundeld.

De beste superieure synthese is een eenvoudig plan. John Sculley gaf het reeds aan: 'Eenvoud is de ultieme vorm van verfijning.' Het is geen wonder dat twee leidende managementgoeroes, Jack Trout en Edward de Bono, tijdens de recente *fin du siècle* beiden een boek publiceerden over eenvoud[75].

Let wel, een verfijnde, erg ingewikkelde data-analyse kan zeer nuttig zijn. Het helpt klantenprofielen haarscherp in beeld te brengen. Maar aan het einde van de rit hebt u een werkbare oplossing nodig. De beste oplossingen zijn vaak eenvoudige oplossingen. Netscape won omdat het een ontzettend eenvoudig idee had: als u een product aanbiedt dat surfen mogelijk maakt op het www, waarom zou u deze software dan niet distribueren via internet? Veel managers denken dat Netscape de enige was op de markt en dat ze daardoor wonnen. Vergis u niet: er waren toentertijd 27 vergelijkbare producten op de markt!

Succesvol management komt meestal neer op gesystematiseerd gezond boerenverstand. Maar Voltaire besefte het ook reeds: 'Le sens commun n'est pas si commun.'

Een marktstrategie is een bedrijfsstrategie

In veel bedrijven zult u, nadat u bij de receptie gevraagd hebt naar de marketingmanager, door velerlei gangen, bochten en verdiepingen geleid worden. Aan het eind van een van deze gangen bereikt u een kantoor, met daarop het bordje *'Marketingmanager'*. In dat kantoor zult u iemand aantreffen die samen met zijn of haar medewerker vlijtig plannen uitstippelt voor de volgende mailing of de eerstvolgende beurs. Marketing is gelijk aan communicatie!

Maar, beste lezer, marketing is zó veel meer dan louter communicatie. We herinneren ons levendig een sessie met een Europees truckfabrikant. Na twee dagen intensieve workshops over hun toekomstig concurrentievermogen, stelde het team een businessmodel voor waarin ICT schitterde door afwezigheid. Het is helaas zo dat grote *fleet contractors* een zeer adequate beheersing van het wagenpark eisen. ICT is een gedroomd middel om deze klantengroep te *pamperen*. Hoe kan ICT vergeten worden, vraagt u zich terecht af. Het antwoord is erg eenvoudig. In deze groep was niemand van ICT vertegenwoordigd…

Marketing is geen functie, het is een proces! De marktstrategie bepaalt de klantwaardepropositie. Dit betrekt *de facto* alle bedrijfsprocessen in uw organisatie. Marketing is bijgevolg te belangrijk om het uitsluitend over te laten aan de marketeers.

Tijdens een presentatie bij een Belgisch IT-bedrijf verzochten we de deelnemers hun functieomschrijving op hun naamplaatjes te schrijven. Deze eenvoudige handeling stelt ons namelijk beter in staat het referentiekader te begrijpen wanneer iemand een vraag stelt. Uit de vooraf verkregen informatie leidden we af dat er onder meer vijftien accountmanagers deelnamen aan de sessie, evenals één senioraccountmanager. Zelf omschreven ze, spontaan, hun functie als 'Sales Manager' en 'Senior Sales Manager'. Er gaapt echter een wereld van verschil tussen accountmanagement en salesmanagement. Dit is een klassiek geval van wat de Engelsen *uptitling* noemen: er wordt een chiquer woord op het naamkaartje gedrukt, maar de aanpak en de evaluatie blijven gewoon hetzelfde als voorheen. Accountmanagement invoeren, zonder terdege de human resource-component te beschouwen, bestendigt de status-quo.

Keuzes maken, keuzes respecteren

De *'resource-based view of the firm'*… Geef toe: het klinkt aantrekkelijk. Eigenlijk is het erg eenvoudig. Birger Wernerfelt bracht de middelenbasis van de onderneming, jaren na Edith Penrose, opnieuw op de voorgrond[76]. De *'resource-based view of the firm'* integreert de externe analyse (de dominante benadering in strategisch management in de jaren zestig en zeventig en het begin van de jaren tachtig) met de interne analyse (die eind jaren tachtig doorbrak met de turbotaal van Hamel en Prahalad)[77].

De essentie van deze theorie is eenvoudig. De enige groei waarin een bedrijf geïnteresseerd mag zijn, is solide groei. En eigenlijk willen alle bedrijven groeien. De kans is reëel dat veel CEO's van dotcombedrijven aan de vooravond van het *dotbomb*-tijdperk dachten: 'We moeten groeien.' 'Groei omwille van de groei,' zo stelde de Amerikaanse dichter Edward Abbey, 'is de ideologie van de kankercel.'

Het Duitse leger verloor de Tweede Wereldoorlog niet vanwege een inferieur leger. Het ging onder meer ten onder aan een onge-

breidelde expansiedrang. Gegeven het beperkte aantal Duitse soldaten hoeft u geen wiskundig genie te zijn om te bedenken dat er steeds
minder Duitse soldaten zijn naarmate het gebied dat ze wensen te
domineren groter wordt. Toch moesten ze iedere vierkante kilometer veroveren en zien te behouden.

Zo gaat het ook in de vrije markt. Je concurrenten geven je geen
geschenken! De fundamentele principes van de oude economie zijn
nog altijd van toepassing: schaarse middelen en talloze kansen. Hoe
kun je dan groeien en toch slagkrachtig blijven? Door keuzes te
maken! 'De essentie van strategie,' observeert Michael Porter, 'is kiezen wat je *niet* zult doen.'

Dergelijke keuzes ogen beperkend, maar in feite creëren zij slagkracht! De technische innovaties in de telecombranche verschaffen
de ondernemingen in deze sector iedere dag opnieuw ongeëvenaarde mogelijkheden om omzet en winst aan te zwengelen, zo lijkt het.
Telecombedrijven die weigeren keuzes te maken, en voortdurend op
alle opties ingaan, zijn niet de winnaars.

Overal een beetje investeren is een strategie die op de beurs succesvol kan zijn. Men spreidt het risico. Deze logica is funest in een
bedrijfsomgeving. Robert Maxwell verwoordde het treffend: 'Indien
ik een vrouw was geweest, zou ik voortdurend zwanger zijn. Ik kan
eenvoudigweg geen nee zeggen.'

Een strategie impliceert keuzes. Men kan niet anders dan de
grootste bewondering hebben voor de vele soldaten die aan land
gingen op 6 juni 1944 na het zien van een film als *Saving Private
Ryan*. Het lijkt nog steeds een erg risicovolle onderneming. Het verspreiden van dezelfde middelen over de gehele Franse kust zou pas
écht een riskante situatie geweest zijn. Toch is dit exact wat veel
managers doen: overal een beetje proberen. Dit lijkt een strategie
waarbij het risico gespreid wordt, maar het is juist een erg riskante
strategie.

Wegwijzers

1. Aan de winnende hand blijven is niet eenvoudig.
2. Succesvol management is gesystematiseerd gezond boerenverstand.
3. Een marketingplan is een businessplan.
4. Een business roadmap vormt een superieure synthese hoe uw bedrijf in de toekomst zal concurreren.
5. Duurzame groei vereist het maken van keuzes.

HOOFDSTUK 18

De reis waarmaken

De project-roadmap

'Er is geen weg van bloemen die leidt naar roem.'

Jean de la Fontaine

Veel managers houden er wat de strategie-implementatie
betreft nogal eens dezelfde filosofie op na als een Hollywood-
veteraan ten aanzien van het huwelijk. Ook bij de zevende poging
verkeert men in de waan het definitieve geluk gevonden te hebben.
Is dit wat marketeers verstaan onder *repeat business*?

Vaak is er niets fout met de strategie, maar gaat men in de fout
bij de uitvoering. Een strategie moet vertaald worden in concrete
projecten. Siemens besloot in juli 1998 tot het uitvoeren van het tien-
puntenprogramma dat naast belangrijke herstructureringen en des-
investeringen eveneens het versterken van de portfolio en het verbeteren van de financiële processen omvatte.

Bij het realiseren van een toekomstvisie kunnen de thema's verschillen. Het huidige businessmodel van Fiat is niet concurrerend
gebleken. Een nieuwe aanpak is nodig voor deze belaagde onderneming. Het hoofdaandachtspunt vormt, hoe kan het ook anders, het
reduceren van de kosten en het verhogen van het aantal verkopen.
Het valt niet mee je te herinneren dat je oorspronkelijke doelstelling
erin bestond het moeras droog te leggen wanneer je wordt omgeven
door krokodillen. Het actieplan van Fiat voor de toekomst omvat
onder meer de ontwikkeling van meer winstgevende modellen (bijvoorbeeld SUV's), de introductie van 20 nieuwe modellen tussen
2002 en 2005, en zware investeringen in kwaliteitsverbetering (2,6
miljard euro per jaar tussen 2003 en 2005) en het distributienetwerk
(150 miljoen euro per jaar tijdens de periode 2002-2005).

'The rubber must hit the road'

Een strategie formuleren is niet eenvoudig, haar implementeren nog minder. Amerikanen gebruiken de uitdrukking *'de banden moeten de grond raken'* om aan te geven dat woorden, kennis of intenties in daden omgezet dienen te worden. Veel goede intenties verzanden immers in de branding van de dagdagelijkse bezigheden!

Het Feyenoord-adagium luidt niet voor niets 'geen woorden maar daden'. Dit wordt ook benadrukt door de nieuwe topman van de VRT, Tony Mary: 'Ik maak liever elke dag één plan dat minutieus uitgevoerd wordt, dan drie die op de plank blijven liggen.'

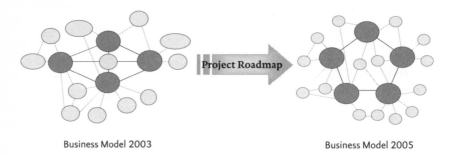

Business Model 2003 · Business Model 2005

De Project Roadmap maakt de Reis naar een Nieuw Businessmodel mogelijk

Management is *de facto* verandermanagement. Een management-kernproces is het aansturen van de processen die als doel hebben het nieuwe businessmodel te realiseren. In tijden van verandering – is het ooit nog windstil? – kenmerkt een succesvolle onderneming zich door het naadloos integreren van verschillende disciplines in tijde-lijke deelprojecten. Dit noemt men in het wetenschappelijke jargon een *adhocratie*[78].

Het is uw taak om voor de volgende 2 à 3 jaar (of meer) de pro-jecten te bepalen die u moet realiseren om het toekomstige business-model te realiseren. Dit definiëren we als de *project roadmap*, een consistent geheel van opeenvolgende en gelijktijdige projecten die tot doel hebben de omslag van het huidige businessmodel naar het toekomstige businessmodel op succesvolle wijze te realiseren.

Een project roadmap kenmerkt zich meestal door een diversiteit van disciplines. Zo is de ommekeer van *Ford of Europe* gerealiseerd door een succesvolle afwerking van vier deelprogramma's: een vernieuwd productengamma, een capaciteitsreductie van 25 procent, het verhogen van de flexibiliteit in de overblijvende productievestigingen en kostenbesparingen van € 900 miljoen.

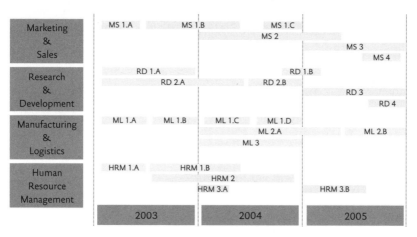

De Project Roadmap maakt de Reis naar een Nieuw Businessmodel mogelijk

Het voorbeeld in de figuur illustreert een roadmap die afgewerkt wordt binnen drie jaar en die in vier disciplines opgesplitst is (marketing en verkoop, onderzoek en ontwikkeling, productie en logistiek, human-resource-management) en 24 deelprojecten telt. In veel ondernemingen zal de marketing- en verkoopafdeling bovendien de roadmap voor het volgende jaar heel gedetailleerd specificeren in een aparte *kalender*. Daarin zijn onder meer de productintroducties, mailings, reclamecampagnes en beurzen van het volgende jaar opgenomen.

Hoewel de voorgestelde roadmap complex lijkt, is dit in realiteit een heel eenvoudige versie. Het logisch groeperen van de vele projecten in communicatief aantrekkelijke en mentaal verteerbare thema's is een belangrijke taak voor het topmanagement.

Enkele projecten zijn *platformprojecten* (bijvoorbeeld behoefte-specificatie van een CRM-strategie). Dit zijn projecten die van cruciaal belang zijn voor de succesvolle afwerking van andere deelprojecten (bijvoorbeeld marktonderzoeken, keuze van softwareplatform, aanpassing van klantenprocessen). De samenhang tussen de verschillende projecten is een belangrijk aandachtspunt voor het management. Platformprojecten vormen de fundering waarop *afgeleide projecten* steunen.

Een wankel platform schaadt de concurrentieslagkracht van de afgeleide projecten. Toen we indertijd als kind cowboytje en indiaantje speelden, was een indianentent vlug gebouwd. Een paar bezems, een doek erover en het kinderoog zag een echt veilige vesting. Veel later, toen de opperhoofdsveren uit de haren verdwenen waren, wilde je een echt huis. En dat vereiste een stevige fundering.

De menselijke kant van verandering

Een nieuwe marktstrategie heeft veel menselijke raakpunten. Medewerkers waarderen die vernieuwingen vaak het meest wanneer de zaken bij het oude blijven. Eerder dan de toekomst voor te bereiden maakt men dan het verleden actueel. Een dergelijke benadering ondergraaft de concurrentieslagkracht van de organisatie.

Een strategie die geen rekening houdt met de menselijke dimensie brengt u in een doodlopende straat. Zo'n roadmap brengt interessante praatjes bij mooie plaatjes, maar maakt weinig kans in de praktijk gerealiseerd te worden.

Het bewustzijn van uw medewerkers bijsturen is een *conditio sine qua non* om de project roadmap succesvol af te werken. We geven u hierbij een eenvoudige methode om mogelijke belemmeringen te identificeren.

Teken op een bord een 2 bij 2-matrix (tja, ook wij hanteren eenvoudige vierkanten). De horizontale as geeft de kans weer dat een belemmering zich voordoet in de loop van een programma. De verticale as geeft de negatieve impact van de belemmering weer. Met een interdisciplinair samengesteld groepje van zes à twaalf personen noteert iedereen belemmeringen op Post-its en plakt die vervolgens op de 2 bij 2 matrix waar men denkt dat die thuishoren.

Het zijn precies die belemmeringen die zich hoogstwaarschijnlijk zullen voordoen én een grote negatieve impact hebben die bijzondere aandacht verdienen. Vaak zijn dit factoren die op de menselijke dimensie betrekking hebben. Weerstand tegen verandering, starheid van de directie, onaangepaste beloningsstructuren, weerbarstigheid van vakbonden...

Onze ervaring leert dat dergelijke belemmeringen gouden input bieden voor de human-resourcemanagers. Zij kunnen nu deelprojecten ontwikkelen die de acceptatie en de afwerking van de andere projecten faciliteert. Dit zijn de HRM-projecten in de voorbeeld roadmap (zie figuur).

Intern ondernemerschap

Het succes van een project roadmap hangt nauw samen met de kwaliteit van de projecteigenaars en -medewerkers. Je hebt medewerkers nodig die bereid zijn hun tanden in deze projecten te zetten en deze als een persoonlijke uitdaging zien. Projectmanagers zijn interne ondernemers die parallel aan de lopende organisatie een bedrijfje runnen. Dit bedrijfje heeft op zichzelf geen bestaanrecht, maar is wel nodig voor het gezonde bestaan van het totale bedrijf.

De ervaring leert dat de jonge *high potentials* een goede visvijver vormen om projectleiders te rekruteren. Het visitekaartje van dergelijke personen ziet er als volgt uit: dertigers met een gevarieerde ervaring, het vermogen bedrijfsvraagstukken grondig te analyseren, medewerkers te motiveren en de organisatie op sleeptouw te nemen.

Goede projecteigenaars zijn tegelijkertijd ondernemer, manager, strateeg en relatiedeskundige. De ondernemende einzelgänger is een weinig gewaardeerd buitenbeentje in West-Europese ondernemingen. In de Verenigde Staten verafgoodt men het individuele ondernemerschap. Dit is minder aan de orde in West-Europa, waar het groepsondernemerschap overheerst. Michel Albert noemde dit het 'Rijnlandse model'[79].

High potentials zien verandering als een uitmuntende gelegenheid zich te bewijzen. Beschouw het als een gezond gemotiveerd eigenbelang ten dienste van de organisatie! Deze high potentials worden verantwoordelijk voor de juiste uitvoering van de projecten, het behalen van de mijlpalen en de eraan verbonden specificaties. Zo wordt een deadline geen dode letter.

Wanneer u deze high potentials inzet, kan het senior management moeilijk de klok terugdraaien. High potentials zien immers duidelijk het verschil tussen loyaliteit en naïviteit. Ze zullen met een mindere situatie geen genoegen nemen, en geven er dan de voorkeur aan andere bedrijfshorizonten te verkennen. Het inzetten van high potentials mag u gerust beschouwen als een positieve verzekeringspremie om uw bedrijf te beschermen tegen een slecht geïnspireerde kortzichtigheid van de directie of de aandeelhouders.

High potentials blijven natuurlijk witte raven. In sommige organisaties vormen zij een zeer pregnant vraagstuk. Zo identificeerde een overheidsbedrijf eens 150 high potentials voor een ontwikkelingsprogramma. Slechts drie van deze 150 (2 procent!) hebben uiteindelijk gesolliciteerd... Dit is duidelijk een casus waar de term 'overheidsbedrijf' een contradictio in terminis vormt.

Sponsoring werkt wel degelijk!

Het is nodig alle projecten te coördineren. Een *sponsor* op topniveau in de organisatie kan die taak het best op zich nemen, zeker indien dit een grondige bijsturing van het businessmodel betreft, er verscheidene divisies of afdelingen bij betrokken zijn, of de onderneming internationaal verspreid is of een grote omvang heeft.

Het resultaat van commerciële sponsoring kan dan wel twijfelachtig zijn, het resultaat van organisatorische sponsoring is dat niet. Een sponsor legitimeert het programma en drukt het noodzakelijke gevoel van bedrijfseconomische urgentie door in de totale organisatie.

Afdelingsoverschrijdende innovatie vereist een vroege betrokkenheid van de diverse partijen. Men moet weten wat men aan de andere partijen heeft. Gebrekkige betrokkenheid werkt als valium op de latere betrokkenheid!

De rol van de sponsor, als *'bonus pater familias'* van de veranderingsgedachte, begint dan ook bij de start. Het vroeg informeren en betrekken van de partijen en het coördineren van de diverse initiatieven omvat veel ceremoniële communicatie die de betrokkenen een gevoel van belangrijkheid geeft.

Tijd is geld

Een project roadmap kunt u beschouwen als een colonne wagentjes die via diverse etappes het einddoel proberen te bereiken. Ze hoeven niet allemaal tegelijkertijd aan te komen, maar bij aankomst van het reisdoel moeten alle tussenliggende doelstellingen gerealiseerd zijn. Ieder van deze wagentjes bevat brandstof voor andere wagens. Een vertraging van wagentjes die zich op het zogenaamde kritische pad bevinden, legt een zware hypotheek op het succes van de operatie.

Wat te doen met projectvertragingen en additionele kosten[80]? In een studie van 161 innovatieprojecten in België en Nederland[81] overschreed men in 44 procent van de gevallen het budget (gemiddelde budgetoverschrijding 50 procent!) en in 58 procent van de gevallen werd de vooropgestelde tijdsplanning overschreden (gemiddelde tijdsoverschrijding 40 procent!).

Er was geen significante correlatie tussen de bijkomende investeringen in geld en tijd enerzijds en het behalen van de commerciële doelstellingen en technische specificaties anderzijds. Extra middelen en toegevoegde tijd zijn vaak weggegooid geld en verkwiste tijd!

Wegwijzers

1. Een project roadmap maakt het mogelijk uw toekomstvisie te realiseren.
2. Hou in uw roadmap terdege rekening met de menselijke kant van businessverandering.
3. Uw high potentials zijn uitstekende projectmanagers in veranderingsprogramma's.
4. Hoe ingrijpender de verandering, hoe groter de behoefte aan ondersteuning vanuit de top.
5. Budget- en tijdsoverschrijdingen leveren weinig op.

HOOFDSTUK 19

Vooruitgang meten

Het marketingscorebord

'Dit is duidelijk een begroting. Het bevat heel wat getallen.'

George Walker Bush (Reuters, 5 mei 2000)

E en gefaalde marketeer wordt opgemerkt, een succesvolle marketeer merkt op. Marketeers worden vaak gezien als ongebreidelde praatjesmakers. Veel van hun collega's zijn de mening toegedaan dat marketeers te veel de nadruk leggen op het verkondigen van wat ze zullen doen, en te weinig doen wat ze verkondigen. Dit stelt hun omgeving in staat uitgebreid te praten over wat ze veroorzaakten. De volgende passage uit *Catch 22* vat de mening van velen heel goed samen:

'Kolonel Cargill, generaal Peckems probleemoplosser, was een krachtige, blozende man. Voor de oorlog was hij een alerte, slagkrachtige marketingmanager geweest. Hij was een heel slechte marketingmanager. Kolonel Cargill was zo afschuwelijk als marketingmanager dat zijn diensten zeer in trek waren bij bedrijven die fiscale verliezen wensten op te bouwen. [...] Men kon kolonel Cargill erop vertrouwen de welvarendste onderneming kapot te krijgen. Hij was een selfmade man die zijn gebrek aan succes aan niemand te danken had.'[82]

Veel marketinginvesteringen zijn weggegooid geld. Is het niet schrijnend dat we nog altijd glimlachend een zweem van herkenning ervaren wanneer de zoveelste spreker op een congres verwijst naar de klassieke oneliner van Sir Thomas Lipton: 'De helft van het geld dat ik spendeer aan reclame is weggegooid geld! Indien ik nu eens wist welke helft!'

Voorzover het de implementatie van een strategie betreft, gedragen marketeers zich niet zelden als apparatsjiks in de voormalige Sovjetunie. Mislukte oogsten brachten de bevolking honger, en de technologische achterstand ten aanzien van het verfoeide westen nam toe. Het failliet van het communistische model was nabij, maar volgens het Kremlin verliep alles volgens de vijfjarenplannen die met

Stalin in zwang gekomen waren. Misschien was de inhoud niet toegespitst op de daadwerkelijke behoeften, en liet de ingebouwde rigiditeit weinig bijsturing toe. Misschien waren ze gewoonweg niet in staat bij te sturen op elementen die in de uitvoering niet aanwezig waren.

'Meten is weten', is een veelgehoorde uitdrukking onder academici. In de marketing is dit onvoldoende vertaald. Sir George Bull, een marketinggoeroe uit de Britse drankenindustrie, vertolkt subliem het gevoel van velen: '[De marketingfunctie] vertoont alle kenmerken van abstracte kunst – het kost je een rib uit je lijf, het heeft slechts een oppervlakkige gelijkenis met het werkelijke leven en je bent nooit zeker van het eindresultaat.'

Van conversatie naar implementatie

In het vorige hoofdstuk beschreven we hoe u de strategie vertaalt in projecten. Het reisdoel (*het nieuwe businessmodel*) bereikt u via afzonderlijke maar van elkaar afhankelijke etappes (*deelprojecten*). De succesvolle realisatie van elk van deze deelprojecten betekent een vooruitgang in de richting van het nieuwe businessmodel. Tenminste, dat vermoeden we. Zonder een multifunctionele kilometerteller blijft sturen, en vooral bijsturen, een hachelijke onderneming. Talent investeren waar dit niet nodig is, is een aanfluiting van een hoog management-IQ.

Een strategie is een hypothese die wacht op de toetsing in de praktijk. Momenteel toetst DSM de omslag van bulkplastics naar fijnchemicaliën en biotechnologie. Een dergelijke omslag is fijnmazig. Zonder de juiste afwerking van de vele *nitty gritty* details, ook in de marketingfunctie, verkrijgt u geen afgewerkt geheel. De vele reclames, mailings, allianties, marktstudies, verkoopspresentaties en productaanpassingen zijn even zovele onderdelen van een symfonisch orkest, waar de kans op kakofonie groter is dan het vinden van de juiste beat.

Visie is een groot woord. En sommigen misbruiken het volledig. 'Visie – de meeste parlementariërs denken dat het een automerk is', stelt Gerrit Komrij. Een visie is goed wanneer de medewerkers daadwerkelijk een coherente en succesvolle actie kunnen ondernemen op basis ervan. Visie zonder implementatie, en implementatie zonder controle, zijn in nonsens verpakte chique woorden. In de notulen van een marketing- of managementteam zul je niet lezen: 'Het is onze visie om niet te scoren!' Maar dit is vaak wat er net wel met grote efficiëntie gerealiseerd wordt. Zelfs *les Bleus* kwamen uit het Verre Oosten terug zonder één goaltje.

De klanten en de media beoordelen een wijnoogst aan de hand van de kwaliteit en de kwantiteit van het eindproduct. Een wijnbouwer beschikt echter over het nodige gezonde boerenverstand om aan de hand van diverse factoren een indruk te krijgen van de te verwachten kwaliteit en kwantiteit van de jaargang. Wanneer en hoe lang regende het? Wanneer scheen de zon? Wat was de gemiddelde temperatuur?

De zogenaamde 'Balanced Scorecard' is een uitstekend voorbeeld van gesystematiseerd gezond boerenverstand in het bedrijfsleven.[83] De visie wordt vertaald in het dagelijkse reilen en zeilen van de organisatie door het koppelen van acties aan meetbare doelstellingen. Deze doelstellingen zijn evenwichtig ('balanced') verdeeld over het financiële gebeuren, de interne bedrijfsprocessen, processen over leren en groei en klantenresponse.

Een goed scorebord communiceert en verduidelijkt de strategie en creëert consensus en betrokkenheid in de geledingen van de falanx. Abstracte doelstellingen ('uitmunten in dienstverlening') worden vertaald in operationele termen ('maximum wachttijd aan de telefoon is 15 seconden'). Begrotingen en middelen kunnen worden gestroomlijnd, geïnvesteerd én bijgestuurd op basis van de feedback. Een koppeling met de juiste beloningssystemen motiveert bovendien de medewerkers.

Over abstracties is men het makkelijker eens dan over feiten. Een scorebord introduceert precies feiten in de discussie. Beoordelingsvergaderingen zijn immers al te vaak lamlendige collages van nietszeggende bedrijfseconomische overpeinzingen. Sommigen bepalen zelfs het succes van een vergadering aan de mate waarin ze erin slagen hun eigen falen te verbergen. Marketing werkt slechts indien iedereen zich committeert. Indien het meetbaar wordt, wordt het zichtbaar. Ook de achterstand!

Beter weten door juister meten

Het toekomstige businessmodel kunt u derhalve slechts realiseren door het scoren op een evenwichtig samengestelde set van factoren. Je kunt de follow-up van een roadmap niet in een voetnoot van een plan plaatsen. Studenten onthouden voetnoten, managers onthouden hoofdpunten.

'Makkie!' zo denken sommigen. We maken een inventaris van onze marketing- en salesactiviteiten, relateren deze aan een aantal economische indicatoren, en klaar is Kees. Maar niet heus.

Een nieuw businessmodel beperkt zich niet louter tot de marketingfunctie. Succesvolle differentiatie realiseert u ook door de introductie van nieuwe logistieke processen, het reorganiseren van de productie, de uitbesteding van deelprocessen of het werven van nieuw personeel. Veel marketeers bewijzen zichzelf een ongelooflijke dienst door goed na te denken over de consequenties die hun beslissingen inhouden voor andere afdelingen. Iedere afdeling moet het eigen *halffabrikaat* op een hoger niveau tillen, wil de verandering slagen. Kortom, één kilometerteller volstaat veelal niet om de afgelegde afstand naar waarde in te schatten.

Bovendien kan men een onderscheid maken in de lange termijn (vandaag plus 3 à 5 jaren) en de korte termijn (het volgende kalenderjaar, eventueel zelfs het volgende kwartaal). De controle van de voortgang van de commerciële activiteiten op zeer gedetailleerd niveau is van een andere orde dan de evaluatie op middellange tot lange termijn. In het bedrijfsleven hebben we niet de luxe van een olympisch atleet om een jaar lang niet te scoren, zolang we er maar staan die ene dag om de vier jaar. De kalender van menig marketeer ziet er echter uit als een perpetuum mobile op 29 februari. Er gebeurt zelden iets.

In ondernemingen als Akzo-Nobel, Belgacom, Corus, DSM en KPN bevindt de ene divisie zich in een sneller evoluerende omgeving dan de andere. Hoe stabieler de markt, hoe meer de strategie van tevoren gepland kan worden. Hoe veranderlijker de omgeving, hoe verraderlijker een mechanistische controle wordt. 'Het is onze strategie om tactisch te zijn', stelt *Sun*-topman Scott McNealy.

Een roadmapping-cyclus van één jaar kan te lang zijn voor één divisie, en te kort voor een andere divisie. Jongeren nemen ecstasy om de beatdreun in de discotempels beter te assimileren. Bij ons weten neemt niemand ecstasy om van het Nieuwjaarsconcert van de *Wiener Philharmoniker* te genieten.

Een GPS voor onderweg

De GPS integreert de functionaliteit van een kompas, een sextant en de landkaart in één systeem. Ook business roadmapping heeft een multifunctionele GPS nodig, een *Geïntegreerd Prestatie Scorebord*.

Een goed GPS informeert, maar leidt niet de aandacht van de weg af. Sleutelcriteria voor goede maatstaven[84] hebben betrekking op de metrische kwaliteit, het gebruiksgemak en de relatie met de onderliggende strategie. Goede prestatieparameters zijn betrouwbaar en valide. In welke mate is bijvoorbeeld het 'aantal verloren klanten' écht een aanwijzing van 'klantensatisfactie'?

Goede prestatieparameters zijn efficiënt te verzamelen, makkelijk te begrijpen en eenvoudig toegankelijk. Zo horen we vaak (industriële) marketeers aan de klaagmuur met de verkondiging dat ze weinig zicht hebben op hun marktaandeel. Hun vertegenwoordigersapparaat kan hier echter een goed zicht op verkrijgen indien ze er op regelmatige basis bij hun klantenbezoeken naar polsen. De eenvoudige toegankelijkheid vereist, in grote ondernemingen, een gedegen ICT-infrastructuur om een samenhangend en up-to-date beeld te verkrijgen.

Tot slot moet het GPS, zoals eerder aangegeven, in relatie staan tot de business roadmap. Dit impliceert een diversiteit in de aard van de prestatieparameters, evenals een onderscheid op korte en lange termijn.

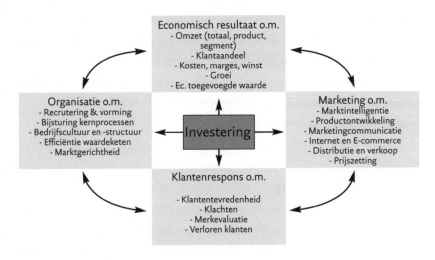

Opvolgen van de Implementatie: het Marketing Scorebord

De ervaring leert dat een goed scorebord voor marketing bestaat uit een viertal dimensies (zie figuur). De *economische resultaten* (bijvoorbeeld, omzet, marges, groei, toegevoegde economisch waarde, al dan niet uitgesplitst per kanaal, segment of productgroep) zijn het gevolg van de *marketingactiviteiten* (bijvoorbeeld nieuwe producten, productiviteit van het verkoopapparaat, response op promoties, internettraffic, klantenservice) en bijsturingen in de *organisatie* (bijvoorbeeld de werving en training van medewerkers, installeren van CRM, update van de klantendatabase, verkorten van de ontwikkelingstijd). Als externe check op het resultaat is een opvolging van de *klantenresponse* noodzakelijk (bijvoorbeeld klachten, merkevaluatie, klantensatisfactie, percentage verloren klanten).

Het sturen van bijsturing

Iedere student bedrijfskunde leert het onderscheid tussen *single-loop learning* (acties bijsturen indien de doelstelling niet gehaald wordt) en *double-loop learning* (de doelstellingen ter discussie stellen)[85]. De juiste vertaling ervan in de praktijk is minder duidelijk. Double-loop learning loopt vaak dood in single-loop learning.

We behouden een gezonde achterdocht ten aanzien van allerhande vertragingen in de project roadmap (zie hoofdstuk 18). Anderzijds kan bijsturing nodig zijn. De langetermijnpeilbaarheid is in de huidige turbulentie immers minder robuust. En dit is ook logisch. 'Wegen zonder hindernissen leiden waarschijnlijk nergens heen', merkte de Amerikaanse acteur Frank A. Clark ooit op.

Bijsturing vereist een bereidheid tot bijsturen. De trein der traagheid schuilt in de lagere echelons, zo nemen managers gemakshalve aan. De vele veranderingsprogramma's volgen elkaar in hoog tempo op en veroorzaken veranderingsmoeheid. 'Even deze waan van de dag uitzitten', wordt een motto dat menig bedrijf vermolmt.

In onze beleving gaan de topechelons evenmin vrijuit. Menig manager kan het falen van zijn strategie moeilijk verteren en houdt fanatiek vast aan de gevolgde koers. Er bestaan inderdaad 'hanen die er fier op zijn op de grootste mesthoop te kunnen prijken' (Paul Daels). Rationele bijsturing is vereist. *Titanic* was een monstersucces aan de bioscoopkassa, de realiteit was een ondergang, die het gevolg was van een hooghartig sturen.

Managers houden het best een rationele en enthousiaste blik op de weg die voor hen ligt en de weg die reeds afgelegd is. Ten aanzien van de eigen realisaties mag je best eens omkijken in verwondering, en bij voorkeur niet in bewondering. Narcisme is een kwalijke eigenschap om verandering te sturen.

Wegwijzers

1. Het controleren van vernieuwing vereist een marketingscorebord.
2. Dit scorebord houdt rekening met andere afdelingen.
3. De opvolgingcyclus is afhankelijk van de turbulentie in de bedrijfscontext.
4. Vier dimensies bepalen uw scorebord: marketingactiviteiten, organisatie, klantenrespons en economische resultaten.
5. Bijsturing vereist rationele helderheid in alle lagen van de organisatie.

HOOFDSTUK 20

Anders reizen

De organisatie (om)bouwen

'Niets is erger dan het hebben van een visie en het licht gaat uit.'

Hans Zwarts

Veel voetballiefhebbers hebben zich terecht geërgerd aan de eigenaardige arbitrage op het wereldkampioenschap voetbal in Japan en Korea. In de beleving van veel Belgen (én Nederlanders) wordt België bestolen van een voorsprong tegen Brazilië. Een sensatie in de maak wordt in de kiem gesmoord. Het doelpunt van Wilmots in de vijfendertigste minuut wordt om nog steeds onduidelijke redenen afgekeurd. In de ogen van velen hoort de Jamaicaanse scheidsrechter Prendergast beter thuis in een wedstrijd beachvolleybal dan op een mundial. Het levert hem alvast de nominatie van *zero of the day* op de CNN-website op.

In de dagen die volgden degradeerde het wereldkampioenschap tot een rariteitenkabinet van ondoorzichtige scheidsrechterlijke beslissingen. Ook de juiste inschatting van buitenspel was voor veel 'doorgewinterde' arbiters geen sinecure. Hebben ze overigens wel een winter op Jamaica?

Op de Nederlandse televisie suggereert Youri Mulder tijdens *Studio Sport* om, gezien de vele scheidsrechterlijke blunders, *tabula rasa* te maken met de buitenspelregel. Het Nederlandse *Dagblad van het Noorden* neemt de uitdaging aan en vindt de voetbalteams van Emmen en Veendam bereid een wedstrijd te spelen zonder buitenspelval. De Nederlandse voetbalbond (KNVB) staat positief tegenover het initiatief. De wereldvoetbalbond FIFA verbiedt begin november 2002 de wedstrijd. De teams, de toeschouwers en de media zijn voorstander van het initiatief. De FIFA verkiest echter, zonder argumentatie, de status-quo.

Vergetelheid ontwijken, verbetenheid bereiken

Verandering heeft een duaal karakter[86]. 'Een bedrijf beheren, en een bedrijf veranderen, zijn geen opeenvolgende, maar gelijktijdige opdrachten', stelt Derek Abell. U moet vandaag concurreren, en u moet zich evenzeer voorbereiden op de dag van morgen. U kunt niet 90 procent of meer van uw huidige omzet naar een voetnoot degraderen in uw roadmap. Succesvolle verandering is viool leren spelen, terwijl het betalende publiek voor de Koniningin Elisabeth-wedstrijd reeds in de zaal aanwezig is. De eisen zijn hoog, en uw fouten worden u aangerekend!

Veel roadmaps ondergaan echter hetzelfde lot als de eraan voorafgaande marktstudie. Opgesteld met de beste bedoelingen eindigen ze in een vergeten la van een stoffig kantoor.

Maar een roadmap zonder implementatie is als een film zonder publiek. Toegegeven, zelfs een juweel als *Fantasia* kende een beperkte waardering bij zijn première in Chicago in 1941. De Amerikanen verwijzen naar producten die pas veel later na hun introductie succesvol worden als *sleepers*. Disney kon zich, in menig opzicht, een slapende schoonheid veroorloven.

Een dergelijke vrijheid hebt u als marketeer niet. U kunt het zich ook niet veroorloven. Indien de implementatie van de roadmap vanaf de start niet succesvol is, wordt het hoogstwaarschijnlijk nooit succesvol. Stelt u zelf eens de vraag: indien *Godfather I* of *Lord of the Rings I* niet succesvol waren geweest, zou er dan ooit een succesvolle opvolger geweest zijn?

Een nieuwe roadmap vereist vaak de inzet van de totale organisatie, en moet ondersteund worden door een krachtige missie. Missies geven echter vaak een lauw mengsel van allerhande vaagheden weer. En dat zal noch de identiteit, noch de bestemming van de onderneming versterken. Een missie vormt wel vaker een samenvoeging van twee woorden: (ge)*mis*(te) (vi)*sie*.

Een van onze MBA-deelnemers vernam van een collega in het-zelfde college dat de commerciële prullaria die hij de week ervoor had weggegooid, eigenlijk de missie vormden die Belgacom aan zijn medewerkers had toegestuurd!

Toen twee farmaceutische giganten fuseerden, pronkte op de voorpagina van de interne R&D newsletter: 'Mensen komen op de eerste plaats'. Het hoofd kwaliteitsmanagement verkondigde tijdens een bijeenkomst dat 'deze onzin niets meer voorstelde dan een emmer overvol bedrijfsnonsens'. Voor een van oorsprong niet-Nederlandstalige vonden we dat een behoorlijk indrukwekkende samenvatting.

Een goede visie communiceert een winnende ambitie en creëert een hoognodige betrokkenheid bij de medewerkers. Een dergelijke visie kunnen we omschrijven als een BHAG (in het Engels uitge-sproken als 'biehèg'): een *Big, Hairy, Audacious Goal*[87]. Een goed voorbeeld van een BHAG is de visie die de CEO van Ferrari, Luca Cordero di Montezemolo, formuleerde: 'Ik wil altijd de trend vóór zijn.' Of Gert, van Studio 100, toen hij Kabouter Plop introduceer-de. Tijdens de persconferentie in september 1997 gaf hij zijn droom prijs aan het verzamelde persleger: 'Als een Vlaams kind een kabou-ter zou tekenen, zou die op Plop lijken.'

Gert is geen tenor, maar wist een BHAG van formaat neer te leg-gen bij zijn medewerkers. De openlijke wens van ons aller Gert, een voormalig nieuwslezer bij de Belgische publieke omroep, is rechttoe, rechtaan. Hij heeft geen twintig staafdiagrammen nodig of een eso-terische woordenschat om iets duidelijk te maken. Gert schetste een eenvoudig beeld om een sterk idee uit te dragen.

Een goede visie schept in één krachtig beeld een ambitie die een momentum creëert voor de totale onderneming. Bedrijven hebben een BHAG nodig. Niet een extra dosis valium verpakt als een saaie missie.

Geen vooruitzicht zonder inzicht

In hoofdstuk 2 hebben we een vurig pleidooi gehouden voor de professionele uitbouw van het marktintelligentieproces. Het is immers ronduit gevaarlijk visie te romantiseren zonder deze te verbinden aan kennis. Onder de misleidende invloed van schrijvers als Mintzberg[88], en Hamel en Prahalad[89], was het medio jaren negentig bon ton om strategische planning met een waas van verdachtmaking te omgeven.

We zijn het met deze auteurs eens dat er meer bij het succes van een bedrijf komt kijken dan een rituele regendans die begrotingen en weinig stimulerende SWOT-analyses integreert.

Er bestaat echter geen vervanging voor een grondig begrip van de interne en externe omgeving van een organisatie. 'De overlevering vertelt ons dat een eigenaar-ondernemer kan vertrouwen op een geniale ingeving. Ik heb veertig jaar gewerkt met ondernemers. Diegenen die vertrouwen op een geniale ingeving gaan uit als een nachtkaars', observeert Peter Drucker.

Het is de selectieve bijziendheid van een buitenstaander die ondernemers blijvende succesnummers toedicht ondanks gebrek aan marktkennis. Toen Akio Morito de strategie voor Sony in de VS ontwikkelde, had hij reeds drie jaar in New York City gewoond. Zijn verblijf was één antropologische expeditie om de New Yorker beter te begrijpen. Het oogt niet als een traditionele marktstudie, het leidt niet tot een standaardrapport met ettelijke staafdiagrammen, maar dergelijke ervaring creëert wel een gefundeerd begrip.

Een sterke interne en externe oriëntatie maakt drastische verbeteringen mogelijk. Bij het ontwerpen van de Renault Twingo, de opvolger van de erg succesvolle Renault 4, liet Renault belangrijke onderdelen ontwerpen door de leveranciers. Zij bleken in staat deze onderdelen te produceren tegen een kostprijs die 17 procent lager lag dan de meest optimistische schatting die de kostenafdeling van Renault zelf gemaakt had!

Groeien door beperking

In hoofdstuk 7 meldden we wat we nu nog eens willen benadrukken: *iedere* organisatie heeft focus nodig om te groeien! Financiële dagbladen bulken van de saillante mislukkingen in diversificatieland. Grote bedrijven nemen afstand van investeringen die aanvankelijk erg aantrekkelijk leken.

U vergroot de kans op succes wanneer u een consistente focus aanhoudt ten aanzien van producten, markten en competenties. 'In der Beschränkung zeigt sich der Meister', verkondigen de Duitsers. Het keuzemenu van producten, markten en competenties is nooit een menu à la carte. Waar u morgen van kunt genieten, hangt af van wat u vandaag tot u neemt.

Het is ontzettend verleidelijk de kans te grijpen op ogenschijnlijk gegarandeerd succes in een prachtige marktniche, die nog niemand ontdekt heeft.

Iedereen wist dat eeuwige roem wachtte op de persoon die als eerste de Zuidpool bereikte. Roald Amundsen en Robert F. Scott zochten deze eer. Beiden bereikten de Zuidpool, Amundsen op 14 december 1911, Robert F. Scott op 17 januari 1912.

Scott werd even beroemd als Amundsen. De reden: hij overleed in dramatische omstandigheden op de terugweg. Zijn woorden, nog steeds aanwezig op een geografisch gedenkteken op de Zuidpool, doen denken aan de laatste gedachten van vele managers wanneer ze staren naar de eerste resultaten van de Beloofde Markt: 'De Pool. Ja, maar onder heel andere omstandigheden dan verwacht.'

Weinig tamtam met bantam

Het ontwikkelen van een nieuw businessmodel impliceert vaak een grondige verandering in de kernprocessen van uw organisatie. Deze verandering is onmogelijk zonder de juiste medewerkers. Licht-

gewicht mensen zorgen voor zwaarwichtige problemen! En consultants brengen voor veel geld wel woordkracht in uw bedrijf, maar
weinig werkkracht en daadkracht.

Vergelijk organisatieverandering met het in andere banen leiden
van een trein vol mensen! We kunnen daarbij vier groepen onderscheiden. Groep 1 helpt u de trein in de gekozen richting te sturen.
Deze groep heeft u nodig. En u hebt er niet te veel van nodig. Anders
vertonen ze gelijkenis met de dure NAVO-praatclub (Nooit Actie,
Vrijblijvend Overleg).

Groep nummer twee omvat een grote groep passagiers die liever
niet de leiding nemen, maar die begrijpen dat verandering noodzakelijk is. Indien u op de juiste manier met hen communiceert, zullen ze het nog leuk vinden ook. Deze groep heeft u nodig.

Er is eveneens een groep passagiers die angstvallig afwachten
wat hen, zodra ze de onverlichte tunnel door zijn, te wachten staat.
Succesvolle verandering is het realiseren van ongewone doelstellingen met gewone mensen. Ook deze groep heeft u dus nodig. Indien
u hen op de juiste manier weet te overtuigen, ondernemen ze de reis.

Tot slot is er een vierde groep passagiers, die verandering niet op
prijs stellen. Ze doen alles wat binnen hun mogelijkheden ligt om de
trein in de bestaande richting te houden. Dit is de ziektekiem voor
veel twijfel en roddel in uw bedrijf. Het zijn ronduit gevaarlijke
tegenstanders die heel bedreven zijn in het gezellig ongezellig maken
van het bedrijfsklimaat. Deze groep bent u liever kwijt dan rijk. 'Het
is gevaarlijk om redelijk te zijn met domme mensen', merkt een
maffiabaas terecht op in Mario Puzo's *The last don*.

Een verbrokkelde betrokkenheid in een organisatie creëert
breuklijnen in een vooruitgang die op samenwerking gebaseerd is.
We hebben de grootste bewondering voor de zorgzame benadering
in veel Nederlandse ondernemingen. Voor diegenen die willen werken, is het een fantastische omgeving. Voor diegenen die voor de
regen willen schuilen, evenzeer… Sommige bedrijfsziektes komen
echter dermate veelvuldig voor dat men zich afvraagt of het niet het

bedrijf is dat ziek is. In sommige ondernemingen is RSI (*'Repetitive Strain Injury'*) even populair als Pokémon bij de kinderen (dus: *'Ronduit Succesvolle Imitatie'*). Het is zo leuk dat iedereen er thuis voor wil blijven. Laat er geen twijfel over bestaan: RSI *is* een ernstige aandoening. Maar de frequentie van een voorheen ongedefinieerde kwaal doet niet alleen directieleden de wenkbrauwen fronsen.

Verlichting aan de top

De zoektocht naar iconen vindt niet langer in Rusland plaats, maar in de Verenigde Staten. De religieuze Messias is ondertussen ingeruild voor een commerciële versie. Aan de overzijde van de Atlantische plas hebben ze altijd een gezonde trek gehad in de charismatische visionair die zijn medewerkers succesvol door de vijandige concurrentiearena heen *schwarzeneggert*.

General Electrics Jack Welch is de laatste icoon in deze rij. Hij kreeg een voorschot van ruim zeven miljoen dollar van Warner voor zijn autobiografie *Straight from the gut* (2001). Deze indrukwekkende vergoeding dreef het breakevenvolume voor Warner op tot 700.000 eenheden. Een cijfer dat alleen al in de Amerikaanse thuismarkt werd gehaald!

'Waar het om gaat', luidt de Nederlandse vertaling. Blijkbaar om heel wat meer dan pure passie voor het bedrijfsleven. Het interview van Jack Welch met Suzy Wetlaufer, toenmalig hoofdredacteur van het prestigieuze *Harvard Business Review*, kende een amoureus vervolg. En de buitenwereld verkreeg inzicht in de pecuniaire details van een grootheid. Welchs exorbitante pensioen, gefinancierd door GE, bedroeg een slordige 2.5 miljoen dollar (per jaar!), verduidelijkte Jane Welch tijdens de door haar aangevraagde echtscheiding.

Het is gevaarlijk leiderschap te romantiseren. Altruïsme is zelden de drijfveer van leiders. Bovendien heeft het topmanagement écht niet de wijsheid in pacht. Zo toont onderzoek aan dat innovaties die geïnitieerd worden door topmanagers commercieel minder succesvol zijn. Immers, hoe verder iemand verwijderd is van de klanten, hoe minder accuraat het inzicht. Sponsoring vanwege de top (hoofdstuk 18) betekent niet ideeën van de top, wel steun van de top!

Het doet ons denken aan het (fictieve) verhaal van een jonge medewerker, Jan, die voor de allereerste maal deelneemt aan een managementvergadering. De vergadering gaat over *bottlenecks* die in diverse onderdelen van het bedrijf de productie en de verkoop belemmeren. Aan het einde van de vergadering merkt de directeur op: 'Jan, iedereen heeft reeds ideeën gesuggereerd, maar jij nog niet. Je heb wel voortdurend zitten glimlachen. Kun je dat eens verklaren?' En Jan licht toe: 'Wel, mijnheer de directeur, ik ken niet veel van *bottlenecks*. Ik weet alleen dat de *neck* van de *bottle* zich aan de top van de *bottle* bevindt…'

De druk op topmanagement, in een omgeving van Enronitis en dotcomimplosies, is haast onwelvoeglijk hoog. Veel directeuren leveren een dagelijkse strijd om hun huid te redden. Erger nog dan een topmanager die zijn huid wil redden, is een topmanager die willens nillens zijn gelijk wil bewijzen in slechte tijden. 'Heroïek is wel vaker een doorzichtige feestverpakking van wanhoop', wist *Humo*'s Rudy Vandendaele.

Zo daalde het onderzoeksbudget in een kennisinstituut tot een onproductieve 2.5 procent van de omzet. De directie weigerde, ondanks gefundeerde argumenten, bij te sturen. In dergelijke omstandigheden stellen we ons telkens een eenvoudige vraag. Wanneer de directeur 's ochtends thuis vertrekt, heeft hij dan beslist om zich halsstarrig aan zijn vorige beslissingen vast te houden, of om gewoonweg zijn verstand thuis te laten? Het resultaat is in beide gevallen hetzelfde: een herseninfarct aan de top.

Tot slot: in veel bedrijven correleert de plaats op de hiërarchische ladder sterker met leeftijd dan met competentie. Omdat iemand ondanks gebrek aan competenties omhoog gepromoveerd wordt, betekent dat niet dat deze persoon zich achteraf nederig zal gedragen. In iedere organisatie lopen verscheidene Robert Waseiges rond. De bedrijfseconomische diepten die dergelijke personen opzoeken, bezorgen hun medewerkers claustrofobische rillingen.

Structuur in de chaos

Het idee van creatief voetbal illustreert de paradox van succesvolle vernieuwing: vernieuwend aanvallen gebeurt binnen bepaalde spelregels.

Het is in het bedrijfsleven niet anders. Indien uw medewerkers volledige vrijheid genieten, is het louter toevallig wanneer een dergelijk *'zootje ongeregeld'* – een uitspraak die we vaak horen in bedrijven – een bijdrage levert die aansluit bij uw doelstellingen. Mat Herben, fractieleider van de Lijst Pim Fortuyn (LPF), concludeerde na een helse rit die vernieuwing voor ogen had en in afbraak resulteerde: 'De LPF is goed in het aandragen van hout voor de eigen brandstapel, en reikt desnoods de lucifers aan.' De LPF was een zootje ongeregeld, met goede bedoelingen, en slechte resultaten. De verkiezingen in 2003 leidden voor de LPF tot een verlies van 18 van de 26 in 2002 veroverde zetels, oftewel een daling met 72 procent.

Het andere uiterste, met name een benadering die alles in regels vastlegt, en ook de uitzonderingen op de uitzonderingen in een twaalfdelig *Bedrijfshandboek Kwaliteit* opneemt, is even funest. Veel ISO-certificatie heeft papier geproduceerd, en vernieuwers gefrustreerd. Bij de Nederlandse PvdA heerst de roep om minder bureaucratie op veel lokale debatavonden. De bureaucratie heeft immers, in de ogen van velen, het geroemde poldermodel tot een verbloemd koldermodel verstikt.

'Iedereen die zegt dat zakenmensen handelen in feiten en niet in fictie, heeft nog nooit oude vijfjarenplannen gelezen', meldde Malcolm Forbes ooit. Het veranderen van de weg die de organisatie bewandelt vereist een subtiele balans tussen autonomie en richting. Het formaliseren van de route is een *conditio sine qua non* voor de organisatie om haar uitdagende doelstellingen te bereiken. Dit houdt de ontwikkeling in van een project roadmap, en de allocatie van middelen en projectleiders (hoofdstuk 18). Grondig projectmanagement is de enige manier om de vertaalslag van plan naar voltooiing te maken. Daarnaast is de controle op de voortgang vereist (hoofdstuk 19). In complexe, kennisintensieve omgevingen zijn duidelijke mijlpalen de krachtigste middelen om mensen op het juiste spoor te brengen en te houden.

Wegwijzers

1. Een goede visie creëert beweging in uw onderneming.
2. Een gedegen externe oriëntatie is noodzakelijk voor een succesvolle bedrijfsvoering.
3. Focus in markten, producten en kernprocessen is onmisbaar.
4. Lichtgewicht medewerkers creëren zwaarwichtige problemen.
5. 'Vrijheid, blijheid' werkt niet. Innovatie vereist structuur en controle.

DEEL V

Omzien en vooruitkijken

Aan het einde van een omvattende reis passen reflectie, synthese en suggesties voor verdere verdieping.

HOOFDSTUK 21

De afgelegde weg en de weg vóór ons

De concurrentiecyclus en roadmapping

'Hoe trots ik ook ben op ons verleden, ik ben meer geïnteresseerd in onze toekomst.'

William Clay Ford Jr.

We zijn aan het einde van het boek gekomen! We hopen dat u ervan genoten hebt. We hopen vooral dat het u helpt in uw beslissingen die u vandaag en morgen zult nemen. Business road-mapping is een eenvoudige en doeltreffende methode om strategische marketingbeslissingen te helpen nemen.

Een concurrentievoordeel, zo hebben we aangegeven, is een sterkte die uw organisatie heeft en die het beslissingsproces van de klant in uw voordeel beïnvloedt. De vragen die het klantenperspectief oproept, zijn duidelijk: zoeken de klanten uw klantwaardepropositie, geven zij daar de voorkeur aan, zien zij haar als middelmatig, of schuiven zij haar als ontoereikend terzijde[90]? Het keuzepalet voor succesvolle differentiatie is enorm. U kunt differentiëren op product, klantenproces, imago of prijs.

Uw middelen en uw competenties moeten u in staat stellen uit te munten in de bestaande spelregels of de spelregels te veranderen. Zonder succesvolle differentiatie verzeilt uw onderneming in een *ratrace*. Of, zoals Michael Porter het onlangs stelde, u bent als een hamster die zijn rondjes in de tredmolen draait. En als u pech hebt, raakt u uit de tredmolen in een doolhof, waarin u regelmatig een nieuwe tredmolen tegenkomt. De nieuwe economie bleek onderhevig aan de oude wetten. Dotcombedrijven brachten een weinig onderscheidend aanbod. Bovendien was het relatienetwerk uitgebreid maar weinig loyaal. De kosten voor het veranderen waren voor de klant nihil. *Mass customization*-goeroe Joe Pine gaf het reeds aan: '[Internet] is de grootste drijfveer van banalisering die ooit werd uitgevonden.'

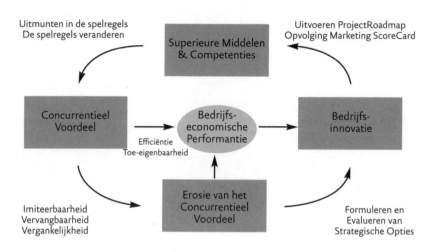

De Concurrentiecyclus en Roadmap

Indien uw onderneming erin slaagt succesvol te differentiëren en efficiëntie en toe-eigenbaarheid ontwikkelt met betrekking tot haar processen, realiseert zij bovengemiddelde bedrijfseconomische resultaten, oftewel een *above average economic rent*. Dit principe hebben we grafisch weergegeven in de figuur[91].

Hoe dan ook, de duurzaamheid van een concurrentievoordeel is per definitie beperkt in de tijd. Jupiler is een uitstekend bier, heeft een onderscheidend imago bij het mannelijk segment tussen 18 en 44 jaar en een gigantische merkbekendheid (99,7 procent). Maar ook Interbrew stelt vast dat bier minder trendy geworden is bij de jeugd. Kijk maar eens naar het succes in Nederland van de Bacardi Breezers en de introductie van Grolsch' Zinniz, een poging de jongere garde aan het minder bittere bier te krijgen.

Zonder interventie erodeert het concurrentievoordeel, en daarmee ook het bedrijfsresultaat. Het is de opdracht van het management om nieuwe opties te creëren en de beste opties uit te voeren. Wanneer een onderneming écht in de *ratrace* verzeild raakt, is ontsnappen zeer moeilijk. De resultaten komen immers op een dergelijk laag pitje te staan, dat investeren in innovatie financieel onmogelijk wordt. En een verdere prijsverlaging brengt weinig duurzaam soelaas. 'We kunnen ons geen weg naar de welvaart snijden', merkt William Dudley, hoofdeconoom van Goldman Sachs, terecht op.

De macht aan de verbeelding! Het is de taak van u en uw team om een vernieuwende klantwaardepropositie te ontwikkelen. 'Vernieuwend' betekent in deze context niet 'vernieuwend voor u', maar wel 'vernieuwend voor de klant'! De middelmatigheid verhogen tast alleen maar uw concurrentievermogen verder aan. 'Ik heb geprobeerd redelijk te zijn. Ik vond het maar niks,' zei Clint Eastwood al.

De uitvoering van de juiste strategische opties stelt u in staat het onderscheidend vermogen te behouden of te verdiepen. Wanneer u de opties geselecteerd hebt, moet u de reis écht aanvatten. De project-roadmap brengt u de reisroute, met het einddoel (het nieuwe businessmodel), de etappes (de diverse mijlpalen), de reizigers (projectleiders en teamleden) en de auto en de uitrusting (middelen). Een marketinginvestering is geen investering in een betere slogan, maar wel een in het betere proces.

Als u uw einddoel bereikt hebt, wat dan? Nou, net als in een echte reis, is het eindpunt van de ene reis het startpunt voor een andere reis. De concurrentie zit niet stil, de omgeving verandert en u stuurt uw ambities bij. Deze vormen allemaal argumenten om roadmapping een continue taak in het strategisch denken van uw onderneming te maken.

Peter Drucker had gelijk. In essentie heeft een onderneming slechts twee taken, namelijk marketing en innovatie. Marketing omvat de processen waarbij waarde geleverd wordt aan de klanten én de onderneming. Innovatie verschaft zuurstof voor de marketing.

Een laatste wegwijzer

1. Er is slechts één manier om te winnen, en te blijven winnen: blijven innoveren!

HOOFDSTUK 22

Monumenten onderweg

Invloedrijke literatuur

'Een goed boek is datgene wat aanzet tot schrijven.'

Monika van Paemel

Bij elk van de hoofdstukken zijn er publicaties die onze gedachtegang in belangrijke mate hebben beïnvloed. We geven hier een beknopt overzicht van de relevante literatuur. We hebben ons in dit overzicht beperkt tot die werken die makkelijk traceerbaar zijn voor de actieve manager, met name publicaties in boekvorm. Er bestaat daarnaast een onuitputtelijke bron van leerzame kennis in de wetenschappelijke tijdschriften. De geïnteresseerde lezer kan nuttige referenties naar die wetenschappelijke literatuur vinden op de persoonlijke websites van de auteurs (www.moenaert.be en www.henryrobben.nl).

Handboeken over bedrijfsstrategie bestaan er in vele maten en gewichten. Een uitstekende inleiding tot strategieformulering leveren Robert Grant (*Contemporary strategy analysis*) en Pankaj Ghemawat (*Strategy and the business landscape*). Deze laatste publicatie gaat ook in op het gedachtegoed van businessmodeling, met de discussie van activiteitensystemen. Maar men kan nimmer voorbij aan het invloedrijke oeuvre van Michael Porter (*Competitive strategy* en *Competitive advantage*).

Deze publicaties benadrukken voornamelijk de formulering van strategie, en niet het proces van strategievorming. Op dit terrein heeft Mintzberg schitterend inzichtelijk werk geleverd (*The rise and fall of strategic planning*). Hoewel er uitstekende publicaties bestaan over de analyse van reële opties (*Real options*, van Amram en Kulatilaka), biedt Mintzberg een ontluisterende blik op de realiteit van bedrijfsprocessen en -beslissingen.

De bijbel met betrekking tot het bepalen in welke bedrijfstak u eigenlijk opereert, is *Defining the business* van Derek Abell. Toegegeven, het concept 'technologie' mag verruimd worden naar 'competentie', maar zijn werk is nog altijd verrassend eenvoudig, krachtig en actueel.

De 'resource-based view of the firm' heeft zijn oorsprong in eerdere teksten van onder meer Penrose, Selznick en Wernerfelt. Maar de echte doorbraak kwam met de prijswinnende bijdragen in *Harvard Business Review* van Gary Hamel en C.K. Prahalad. Hun boek *Competing for the future* is een mijlpaal vanwege het vestigen van de aandacht van managers op competenties. Meer wetenschappelijk gefundeerde inzichten hierover zal de lezer vinden in *Foundations of corporate success* van John Kay en *Gaining and sustaining competitive advantage* van Jay Barney.

Het is de verdienste van Jim Collins en Jerry Porras het begrip 'visie' een duidelijke inhoud te geven (*Built to last*). Jim Collins heeft deze tour de force recent nog eens herhaald (*Good to great*).

De aandacht op competenties en processen heeft een behoorlijke vertaalslag gekregen in de marketingliteratuur. Zo zijn George Day (*The market-driven organization*) en James Anderson en James Narus (*Business market management*) erin geslaagd om de nadruk dáár te leggen in marketing waar die nodig is: een procesmatige benadering van marketingcompetenties in de organisatie. Noblesse oblige: Phil Kotlers *Marketing management* wordt met de jaren omvangrijker en omvattender, en brengt nog steeds een goede bloemlezing van het marketingdenken. De hoofdstukken over marktsegmentatie blijven een voorbeeld in hun soort. In het Nederlandstalige gebied is het werk van Jacques de Rijcke (*Handboek Marketing*) de evenknie van de Kotler-bijbel.

Marktonderzoek wordt uitstekend behandeld in Angelsaksische publicaties (bijvoorbeeld *Marketing research: methodological foundations* van Churchill), maar waarom zou u Engelstalige publicaties lezen indien er een ronduit uitstekende Nederlandstalige publicatie bestaat: *Marktonderzoek: methoden en toepassingen* van De Pelsmacker en Van Kenhove. Tot op heden is er nog geen goed werk verschenen dat zowel ad hoc als continue (bijvoorbeeld via internet, vertegenwoordigers) vormen van marktintelligentie op methodologisch verantwoorde wijze belicht.

Een goed overzicht van de diverse strategische analysetechnieken vindt u in het werk van Rao en Steckel (*Analysis for strategic marketing*). De auteurs Lilien en Rangaswamy gaan nog een stap verder, en voegen gebruiksvriendelijke en krachtige software toe om marketingbeslissingen te ondersteunen (*Marketing engineering*).

Concurreren is differentiëren, zo luidde een centrale stelling in dit boek. De klassieker hierover blijft natuurlijk Michael Porters *Competitive advantage*. De meeste andere gezaghebbende publicaties volgen behoorlijk accuraat het Porter-verhaal (zie bijvoorbeeld David Aakers *Strategic market management*), inclusief het lagekostenargument. Het beste pleidooi van het afgelopen decennium vinden we echter het ongeëvenaarde *The power of simplicity* van Jack Trout.

Verrijkende inzichten over de diverse aspecten van differentiatie kunt u verwerven in klassiekers als 'Managing new product and process development' van Kim Clark en Steven Wheelwright (productontwikkeling), *The new positioning* van Jack Trout en Steve Rivkin (positionering), *Building strong brands* van David Aaker en *Strategic brand management* van Kevin Lane Keller (merkenbeleid), *Inside the tornado* van Geoffrey Moore (differentiatie in hoogtechnologische markten), *Power pricing* van Robert Dolan en Hermann Simon (prijsbeleid), en *Services marketing* van Christopher Lovelock (klantenprocessen).

Voetnoten

1   W. Reinartz & V. Kumar. 'The mismanagement of customer loyalty', *Harvard Business Review* 80: pp. 86-94 (juli 2002).

2   E.J. McCarthy. *Basic marketing. A managerial approach.* Homewood IL: Irwin, 1960.

3   R. Lauternborn. 'New marketing litany: four P's passe; C-words take over', *Advertising Age*: p. 26 (1 oktober, 1990).

4   Ajay Kohli & Bernard J. Jaworski. 'Market orientation: the construct, research propositions, and managerial implications', *Journal of Marketing* 54: pp. 1-18 (april 1990).

5   In een scenario van vijf eenheden, kan iedere eenheid met vier andere eenheden communiceren. Indien we aannemen dat communicatie een tweewegsproces is, moeten we dit product delen door twee. De algemene formule wordt dan: $[N * (N-1)] / 2$. In het voorbeeld van vijf eenheden: $[5 * 4] / 2 = 10$

6   R.S. Roosenbloom & F.W. Wolek. *Technology and information transfer.* Boston: Harvard University, 1970.

7   Darrell K. Rigby, Frederick F. Reichheld & Phil Schefter. 'Avoid the four perils of CRM', *Harvard Business Review* 80: pp. 101-109 (februari 2002).

8   Stefan Thomke & Ashok Nimgade. *Note on lead user research.* Harvard Business School, 1998.

9   C.K. Prahalad & G. Hamel. 'The core competence of the corporation', *Harvard Business Review* 68: pp. 79-91 (mei-juni 1990).

10   D.F. Abell. *Defining the business. The starting point of strategic planning.* Englewood Cliffs: Prentice-Hall, 1980.

11   C.A. Park & G. Zaltman. *Marketing management.* Chicago: Dryden Press, 1987. Aaker maakt een vergelijkbaar onderscheid tussen functional, emotional en 'self-expressive'. D.A. Aaker. *Building strong brands.* New York: Free Press, 1996.

12   J.M. Utterback. *Mastering the dynamics of innovation.* Boston: Harvard Business School Press, 1994.

13   M.E. Porter. *Competitive strategy. Techniques for analyzing an industry.* New York: Free Press, 1980.

14   J. Diebold. *The innovators. The discoveries, inventions, and breakthroughs of our time.* New York: Truman Talley Books/Plume Printing.

15   B.J. Nalebuff & A.M. Brandenburger. *Co-opetition.* London: HarperCollins, 1996.

16   Alexander Fink & Oliver Schlake. Scenario Management – An Approach for Strategic Foresight. *Competitive Intelligence Review*, 2001.

17   A. Milligan & S. Smith. *Uncommon Practice: People who deliver a great brand experience.* Pearson Education Limited, 2002.

18   J. Sheth & J.A. Howard, *The theory of buyer behavior.* New York: Wiley, 1969.

19   W.D. Hoyer & D.J. Macinnis, *Consumer behavior.* Boston: Houghton Mifflin, 1997.

20   B.J. Pine II & J.H. Gilmore 1999. *The experience economy.* Boston: Harvard Business School Press.

21   Ph. Kotler. *Marketing management.* Upper Saddle River NJ: Prentice-Hall, 2000.

22   J.C. Anderson & J.A. Narus. *Business market management. Understanding, creating, and delivering value.* Upper Saddle River NJ: Prentice-Hall, 1999.

23   'Barco Projection Systems (A). Worldwide Niche Marketing'. Boston MA: Harvard Business School. Case # 9 – 591 – 133.

24   Marc Jegers, Rudy Moenaert & Alain Verbeke. *Begrippen van management. Strategische planning en organisatie.* VUBPress: Brussel, 2002 (derde herziene editie).

25   Zie bijvoorbeeld: Vithala R. Rao & Joel H. Steckel. *Analysis for strategic marketing.* Reading MA: Addison-Wesley, 1998.

26   Robert M. Grant. *Contemporary strategy analysis. Concepts, techniques, Applications (2nd ed.).* Cambridge MA: Blackwell Business, 1995.

27   Tom Peters & Robert Waterman. *In search of excellence.* New York: Harper & Row, 1982.

28   Michael Goold, Andrew Campbell & Marcus Alexander. *Corporate-level strategy. Creating value in the multibusiness company.* New York: Wiley, 1994.

29   Roger A. Kerin, Vijay Mahaja & P. Rajan Varadarajan. *Contemporary perspectives on strategic market planning.* Boston: Allyn & Bacon, 1990.

30   Wij definiëren concurrentievoordeel vanuit het standpunt van de markt, met name waardecreatie voor de klant. In de strategieliteratuur wordt een concurrentievoordeel voornamelijk geassocieerd met waardecreatie voor de onderneming. Waardecreatie voor de onderneming is in onze optiek een gevolg van efficiëntie en toe-eigenbaarheid (zie hoofdstuk 10).

31   Filip Caeldries. *All the wrong moves: Sociocognitive reflections on strategy formulation and implementation.* Tilburg University, 2002.

32   F. Crawford & R. Mathews. *The myth of excellence. Why great companies never try to be the best at everything.* New York: Crown Business, 2001.

33   G. Hamel & C.K. Prahalad. *Competing for the future.* Boston MA: Harvard Business School Press, 1994.

34   M.E. Porter. *Competitive strategy. Techniques for analyzing an industry. New York:* Free Press, 1980.

35   M.E. Porter. 'What is strategy?', *Harvard Business Review* 74: pp. 61-78 (november-december 1996).

36   Klassieke referenties betreffen onder meer (1) B. Wernerfelt. 'A resource-based view of the firm', *Strategic Management Journal* 5: 171-180 (1984), en (2) C.K. Prahalad. & G. Hamel. 'The core competence of the corporation', *Harvard Business Review* 68: 79-91 (mei-juni 1990). De aandacht voor competenties is echter minder nieuw dan velen denken. Zie onder meer (3) P. Selznick. *Leadership in administration. A sociological interpretation.* Harper & Row, 1957, en (4) E. Penrose. *The theory of the growth of the firm.* New York: Wiley, 1959.

37   M.E. Porter. 1996, o.c.

38   M. Hammer & J. Champy. *Reengineering the corporation. A manifesto for business revolution.* New York: HarperBusiness, 1993.

39   C.K. Prahalad. & G. Hamel, 1990, o.c.

40   D.J. Collis & C.A.Montgomery. 'Competing on resources: strategy in the 1990s', *Harvard Business Review* 75: pp. 118-18 (juli-augustus 1995).

41   De volgende boeken bieden meerdere en intrigerende perspectieven op de onheil-spellende Mt. Everest-expedities van mei 1996: (a) David Breashears. *High Exposure.* Touchstone, 1999. (b) Anatoli Boukreev & Weston G. DeWalt. *The Climb.* St. Martin's, 1997. (c) John Krakauer. *Into thin air.* Random House, 1997.

42   P. Ghemawat. 'Sustainable advantage', *Harvard Business Review* 64, september-oktober 1986, pp. 53-58; I. Dierickx & K. Cool. 'Asset stock accumulation and sustaina-bility of competitive advantage', *Management Science* 35, 1989, pp. 1504-1511; R. Amit & P.J.H. Schoemaker. 'Strategic assets and organizational rent'. *Strategic Management Journal* 14, 1993, pp. 33-46; D.J. Collis & C.A. Montgomery. Competing on resources: strategy in the 1990s'. *Harvard Business Review* 75, juli-augustus 1995, pp. 118-128; J. Barney. *Gaining and sustaining competitive advantage.* Addison-Wesley, 1997; John Kay. *Foundations of corporate success. How business strategies add value.* Oxford: Oxford University Press, 1993.

43   R.A. D'Aveni. *Hypercompetition. Managing the dynamics of strategic manoeuvring.* Simon & Schuster, 1994.

44   V.K. Rangan & G.T. Bowman. 'Beating the commodity magnet', *Industrial Marketing Management* 21: pp. 215-224 (1992).

45   De aangehaalde literatuur suggereert nog andere criteria (o.m., de verhandelbaar-heid van middelen, ondernemingsspecificiteit, etc.). De conceptuele ambiguïteiten evenals de impliciete interdependenties tussen de vele concepten hebben ons doen opteren voor een pragmatische taxonomie, die we eveneens empirisch getoetst hebben (zie: Rudy K. Moenaert & Henry S.J. Robben. *Visionaire marketing. Concurreren nu, bouwen voor de toekomst (inaugurele rede).* Breukelen: Universiteit Nyenrode, 1999).

46   R.R. Nelson & S.G. Winter. *An evolutionary theory of economic change.* Cambridge MA: Belknap, 1982.

47   Hermann Simon. *Seven e-commerce lessons.* European Business Forum, 2001.

48   W.C. Kim & R. Mauborgne. 'Value innovation: the strategic logic of high growth', *Harvard Business Review* 75: pp. 103-112 (januari-februari 1997).

49   G. Stalk Jr. & A.M. Webber. 'Japan's dark side of time', *Harvard Business Review* 71: pp. 93-102 (juli-augustus 1993).

50   P.N. Golder & G.J. Tellis. 'Pioneering advantage: marketing logic or marketing legend?', *Journal of Marketing Research* 30: 158-170 (1993). Ter vervollediging: dezelfde auteurs concluderen in hun zopas afgeronde, en zeer uitgebreide onderzoek, dat slechts negen procent van de pioniers hun positie kan bestendigen! G.J. Tellis & P.N. Golder. *Will and vision. How latecomers grow to dominate markets.* New York: McGraw-Hill, 2002.

51   G.A. Moore *Inside the tornado. Marketing strategies from Silicon Valley's cutting edge.* New York: HarperBusiness, 1995.

52   Rudy K. Moenaert & Henry S.J. Robben. *Visionaire marketing. Concurreren nu, bouwen voor de toekomst (inaugurele rede).* Breukelen: Universiteit Nyenrode, 1999.

53   URL: www.tarp.com

54   E.K. Strong. 'Theories of selling'. *Journal of Applied Psychology* 9: pp. 75-86 (1925), p. 79.

55   F.F. Reichheld. 'Loyalty-based management', *Harvard Business Review* 71: pp. 64-73 (maart-april 1993).

56   B.B. Jackson. 'Build customer relationships that last'. *Harvard Business Review* 63: pp. 120-128 (november-december 1985).

57   C. Grönroos. *Service management and marketing. Managing the moments of thruth in service competition.* Lexington: Lexington Books, 1990.

58   A.K. Smith, R.N. Bolton & J. Wagner. 'A model of customer satisfaction with service encounters involving failure and recovery', *Journal of Marketing Research*, vol. 35, pp. 356-372 (augustus 1999).

59   James C. Anderson & James A. Narus. *Business market management. Understanding, creating, and delivering value.* Upper Saddle River: Prentice Hall, 1999.

60   Rudy K. Moenaert & Henry S.J. Robben. *Visionaire marketing. Concurreren nu, bouwen voor de toekomst (inaugurele rede).* Breukelen: Universiteit Nyenrode, 1999.

61   Philip Kotler. *Marketing management. The millennium edition.* Upper Saddle River NJ: Prentice Hall International, 2000. Een uitstekend overzicht van de methoden om deze waarde te meten kan gevonden worden in: James C. Anderson & James A. Narus. *Business market management. Understanding, creating, and delivering value.* Upper Saddle River: Prentice Hall, 1999.

62   F. Crawford & R. Mathews. *The myth of excellence. Why great companies never try to be the best at everything.* New York: Crown Business, 2001.

63   Robert M. Grant. *Contemporary strategy analysis.* Concepts, techniques, applications. Oxford: Basil Blackwell, 1995.

64   M.E. Porter. *Competitive strategy.* New York: Free Press, 1980. Een soortgelijk argument inzake de onverenigbaarheid van differentiatie en efficiëntie wordt gebracht door: M. Treacy & F. Wiersema. *The discipline of market leaders.* Reading MA: Addison-Wesley, 1995.

65   J.M. Utterback. *Mastering the dynamics of innovation.* Boston: Harvard Business School Press, 1994.

66   Marc Jegers, Rudy Moenaert & Alain Verbeke. *Begrippen van management. Strategische planning en organisatie.* VUBPress: Brussel, 2002 (derde herziene editie).

67   E. Gundling. *The 3M way to innovation. Balancing people and profit.* Tokio: Kodansha International, 2000.

68   Voor marketingdoeleinden werd dit onderwerp het best samengevat door: J. Trout. *The new positioning.* McGraw-Hill: New York, 1996. Positionering is een woord met vele betekenissen. Het refereert aan de managementbeslissing, zowel als aan de implementatie, en het resulterende effect in het brein van de klant.

69   D.A. Aaker. *Building strong brands.* Free Press: New York, 1996.

70   BMW ontstond uit Rapp Motoren Werke in 1917, een bedrijf gewijd aan de productie van vliegtuigmotoren (vandaar het propellerembleem, het blauw en wit staan voor de lucht). Ze lanceerden hun eerste motor in 1923, en de eerste auto 9 jaar later. Na de Tweede Wereldoorlog voerden de geallieerden een productieverbod in voor BMW voor haar productie van motoren en raketten. Ze kwamen voor een tweede keer op de markt met in het begin kleine auto's, en breidden al snel uit met luxere en sportievere modellen.

71   P. Watzlavick, J. Beavin & D. Jackson. *Pragmatics of human communication. A study of interactional patterns, pathologies, and paradoxes.* New York: Norton, 1967.

72   Het optiescorebord hebben we ontwikkeld aan de hand van een diepgaand onderzoek bij Belgische en Nederlandse ondernemingen. Een financiële aanvulling vindt u in:

M. Amram & N. Kulatilaka. *Real options. Managing strategic investment in an uncertain world*. Boston MA: Harvard Business School Press, 1999.

73   R.M. Hodgetts, F. Luthans & S.M. Lee. 'New paradigm organizations: from total quality to learning to world-class', *Organizational Dynamics* 22 (3): pp. 5-19 (Winter 1994).

74   P. Ghemawat. *Commitment. The dynamic of strategy*. New York: Free Press, 1991.

75   E. De Bono. *Simplicity*. London: Penguin Books, 1998. J. Trout. *The power of simplicity*. New York: McGraw-Hill, 1999.

76   B. Wernerfelt. 'A resource-based view of the firm', *Strategic Management Journal* 5: 171-180 (1984). E. Penrose. *The theory of the growth of the firm*. New York: Wiley, 1959.

77   D.J. Collis & C.A. Montgomery. 'Competing on resources: strategy in the 1990^s'. *Harvard Business Review* 75, pp. 118-128 (juli-augustus 1995).

78   Henry Mintzberg. *The structuring of organizations*. Prentice Hall, 1979.

79   Michel Albert. *Capitalism vs. capitalism. How America's obsession with individual achievement and short-term profit has led it to the brink of collapse*. Four Walls Eight Windows, 1993.

80   Analyses en remedies vindt u in: J. Davidson Frame. *The new project management. Tools for an age of rapid change, complexity and other business realities (2nd edition)*. San Francisco: Jossey-Bass, 2002.

81   R.K. Moenaert. *Industriële innovatie in België en Nederland. Strategie, organisatie, marketing*. Working Paper. Centrum voor Bedrijfseconomie, Vrije Universiteit Brussel, 1995.

82   Joseph Heller. *Catch 22*. Corgi Edition, p. 40, 1991.

83   Robert S. Kaplan & David P. Norton. *The balanced scorecard. Translating strategy into action*. Harvard Business School Press: Boston MA, 1996.

84   William A. Schiemann & John H. Lingle. *Bullseye. Hitting your strategic targets through high-impact measurement*. Free Press: New York, 1999.

85   Chris Argyris. 'Education for leading-learning', *Organizational Dynamics*. pp. 5-17 (Winter 1993).

86   D.F. Abell. *Managing with dual strategies*. New York: Free Press, 1993.

87   J.C. Collins & J.I. Porras. *Built to last. Successful habits of visionary companies*. London: Random House, 1994.

88   H. Mintzberg. *The rise and fall of strategic planning*. New York: Prentice-Hall, 1994.

89   G. Hamel & C.K. Prahalad. *Competing for the future*. Boston: Harvard Business School Press, 1994.

90   F. Crawford & R. Mathews. *The myth of excellence. Why great companies never try to be the best at everything*. New York: Crown Business, 2001.

91   Deze figuur is geïnspireerd op: G.S. Day en D.J. Reibstein. *Wharton on competitive strategy*. New York: John Wiley & Sons, 1997.